佛教
知识读本

中国社会科学院世界宗教研究所 / 编

杨曾文 / 著

宗教文化出版社

图书在版编目(ＣＩＰ)数据

佛教知识读本/杨曾文著．－2版．－北京:宗教文化出版社，
2015.8(2022.10重印)
（宗教知识读本）
ISBN 978－7－5188－0085－8

I.①佛… II.①杨… III.①佛教－基本知识 IV.①B94

中国版本图书馆CIP数据核字(2015)第206196号

佛教知识读本

中国社会科学院世界宗教研究所　编

杨曾文　著

出版发行：宗教文化出版社
地　　址：北京市西城区后海北沿44号　（100009）
电　　话：64095215(发行部)　64095209(编辑部)
责任编辑：兰菲菲
版式设计：高秋兰
印　　刷：廊坊市广阳区九洲印刷厂

版权专有　侵权必究

版本记录：787毫米×1092毫米　16开本　10印张　100千字
　　　　　2015年9月第2版　2022年10月第3次印刷
书　　号：ISBN 978－7－5188－0085－8
定　　价：68.00元

总　序

　　宗教是重要的人类文化现象,属于人的精神生活和社会存在,具有长期性、群众性、民族性、国际性和复杂性。对一般人民群众来说,宗教一直在影响他们的生活,经过长期的历史演变后,有些宗教现象甚至成为民俗生活的重要内容。宗教在我国人民生活中也有着广远的影响,对此我们不可小看。

　　由于宗教有着悠久的历史,具有自身独特的思想文化体系,并与人的发展和社会发展密切相关,因此对宗教知识的了解应该成为我们必须具备的基础知识。但是由于种种原因,人们对宗教还缺乏正确的认识和理解,有鉴于此,我们组织了一些研究宗教的专家,撰写了这套宗教知识读本。

　　本书以客观描述的形式,并根据宗教本身的发展规律和特点,有针对性地选择了一些最具历史影响的内容,深入浅出地介绍佛教、道教、伊斯兰教、天主教、基督教和中国宗教及宗教法规政策方面的基本知识。其解释力求准确,内容尽可能通俗,是一套让人了解宗教发展演变的客观规律、掌握有关宗教基本知识的入门书。

在走向新世纪,迎接"全球化"的机遇与挑战的进程中,对宗教知识的了解和掌握,对宗教的重新认识和理解,已极为必要,希望本书能成为广大读者和基层干部的良师益友。书中如有谬误之处,欢迎大家批评指出,以便今后修订重版改正。

中国社会科学院

世界宗教研究所

2000 年 6 月

目　　录

佛教与东方文化（代前言）

杨曾文

中国、印度是亚洲历史最悠久、幅员最辽阔的国家,是人类文明的重要发祥地。中印两国友好交往的历史可追溯到公元前 4、3 世纪以前,佛教曾是沟通中印两国文化交流的重要纽带和桥梁。贯通东西的丝绸之路是沟通中国与印度、亚洲其他国家乃至欧洲国家的重要通道。

佛教发源于公元前 6、5 世纪,公元前 3 世纪发展为世界性的宗教,公元前后开始传入中国内地。佛教传入中国以后,经过漫长的时期与中国传统文化、习俗的结合,发展为中国富有鲜明民族特色的重要宗教之一。在中国佛教中既有流传时间最长,影响范围最大的汉语系佛教;也有发源于西藏地区,为藏、蒙等兄弟民族信仰的藏语系佛教;还有在云南部分地区为傣族等兄弟民族信仰的南传巴利语系佛教。中国在古代曾是北传佛教的中心。中国汉语系佛教先后传入朝鲜、日本以及越南等国,对这些国家的历史文化产生了极为深远的影响。

在佛教传入中国和实现民族化的过程中,曾长期与儒、道二家既互相争论,又彼此吸收,从而极大地丰富和充实了中国的传统文化,对中国的哲学、文学、美术、雕塑、音乐、建筑等文化形态,乃至中国民众的生活习俗,都产生了极为深远的影响。佛教至今仍是中国拥有广大信徒的宗教之一,在藏、蒙、傣等少数民族中几乎受到全民信仰,仍在现实社会中继续发生影响。广大佛教信徒在党的领导下正与全国其他人民群众一道为祖国的社会主义现代化建设不断作出贡献。

在古代中外佛教文化的交流中,佛教不仅是一种宗教,而且是重要的文化载体,在它向朝鲜、日本等国的传播过程中,也将当时中国先进的政治、经济制度和其他思想文化传入,对这些国家的文化进步与社会发展作出了重大贡献。在"和平与发展"成为世界两大主题的今天,佛教仍是连接东亚各国的一条重要的"黄金纽带",中国与东亚各国的佛教文化交流日益频繁,正在为亚洲的发展与稳定、为世界的和平事业作出新的贡献。

当代的世界是个政治多极化、经济全球化、文化多元化的世界。由于以东亚地区为代表的东方经济的高速发展,东方文化也越来越受到各国人民的重视。在东方传统文化中,源自中国的儒释道三教早已彼此沟通融合,并且与其他民族文化、宗教有过程度不同的交会和影响。这种传统文化在当代东方文化结构中占有重要地位。可以预料,它不仅将在适应新的时代和吸收世界先进文化的过程中取得新的重大发展,而且必将对新世纪全人类的进步和世界文明的发展作出贡献。东方文化的崛起,绝不会如美国学者亨廷顿的"文明冲突论"所预言的那样引起东西方文化的剧烈冲突,出现所谓"中国威胁",而是昭示着世界各国文化将发生新的更广泛的汇合融通,世界文明将进入一个新的发展境界。

在这种新的形势下,进一步加强对中国传统文化、宗教的研究和了解,具有新的意义。对于专门从事宗教研究的学者,有一个如何按照人文社会科学的总体发展规划和适应社会的需要继续深入研究宗教,向社会正确普及宗教知识的问题;对于从事宗教实际工作和行政管理的干部来说,也有一个不断深入认识宗教,遵循宗教的客观规律,更好地执行党和国家的政策、法律,正确对待和处理宗教的问题。当然,现今在我国,有的从事宗教实际工作的干部本身就是研究宗教的学者。

改革开放以来,宗教研究作为我国人文社会科学的一个领域取得了空前的丰硕成果,专著、译著、论文和辞书等可以说是汗牛充栋,确实令人鼓舞,但是确实也存在一些过去未被人们注意的问题。其中问题之一就是系统地准确地并且通俗地简要地介绍宗教知识的著作太少,例如至今尚没有为基层干部编写介绍宗教专业基础知识的读物。从这个意义上,笔者对宗教文化出版社出面组织编写一套《宗教知识读本》表示赞赏和支持。

笔者所承担的《佛教知识读本》已经完成并呈献在诸位面前,是好是坏,不敢自是,谨请诸位鉴定。本书分为四个部分,简要地并且尽可能通俗地介绍佛教在印度的创立及其基本教义、佛教传入中国及其民族化的历程、中国佛教史上有代表性的人物与学说宗派、朝鲜日本和越南三国的佛教,为了便于查阅,皆按问题加上小标题。佛教历史上下两千多年,佛教典籍浩如烟海,佛教教义理论也十分庞杂,不用说这本小书的介绍充其量不过是九牛一毛。本书既然介绍佛教知识,自然对繁多艰涩难懂的专门名词、概念和深奥的义理不能回避。深知运用现代语言准确清楚地表达难度很大,然而又必须努力这样去做。笔者在写作中力求做到既简要,又系统;对重要问题的说明,既引用必要的资料,又作通俗的解释。

本书篇幅虽短,但凝聚笔者多年的心血。书中大部分条目是根据笔者的研究成果编写的,有的是直接取自笔者的专著、论文,但在写作中根据本书的体例作了适当修改。在对重要条目的叙述中所引资料、参考书皆用括弧注明出处,以便读者查证和参阅。"当代中国佛教"和"云南地区上座部佛教"两个条目是黄夏年同志所写,特此注明并表示谢意。

2000 年 4 月 14 日于南方庄公寓

佛教的创立及其基本教义

1.佛教的创立

佛教是中国的民族宗教之一,并且是中国传统文化的重要组成部分,然而佛教并不是发源于中国,而是发源于古印度,创立者是释迦牟尼。

佛教的创立是古代印度历史上的一个重大事件。因为在古印度没留下这方面的专史记载,现在国内外学术界主要依靠现存的早期佛教经典《阿含经》和其他相关资料,对释迦牟尼的生平和创教事迹作出了比较可信的论证和说明。

释迦牟尼出生于古印度的迦毗罗卫(在今尼泊尔国南部的提拉科特附近)的释迦族。"释迦牟尼"(Śākyamuni)意为释迦族的圣人。姓乔达摩(Gautama,也译瞿昙),原名悉达多(Siddhārtha)。佛教一般尊称为"佛"或"佛陀"(Buddha),意为觉悟者,达到觉悟的人。

现在学术界对释迦牟尼在世八十岁的看法是一致的,但对释迦牟尼的生死年月有几种不同的说法。我国学术界一般是根据隋代费长房编撰的《历代三宝记》卷十一所载《善见毗婆娑律》译记所记载的传说,推算出释迦牟尼生于公元前565年,死于公元前485年。此外国际上还有以下五种有影响的说法:流传于南亚东南亚的南传上座部佛教通行的佛的生卒年是公元前624年至公元前544年(也有的国家作公元前623年至公元前543年);据斯里兰卡史书《岛史》、《大史》,应为公元前563年至公元前483年或公元前564至公元前484年;还有以公元前466至公元前386年或公元前463至公元前383年作为释迦牟尼的生卒年的。

2.释迦牟尼的生平事迹

释迦牟尼出生的迦毗罗卫是释迦族建立的城国,是公元前6、5世纪古印度存在的许多小国之一。释迦牟尼出身于军事贵族种姓(称"刹帝利种姓"),父亲是迦毗罗卫国的国王,称"净饭王",母亲是摩耶夫人。释迦牟尼的母亲生下他7天后去世,他由姨母带大。

释迦牟尼从小按照当时盛行的婆罗门教的传统习俗,学习字书、吠陀(婆罗门教的经典),并且练习武艺。17岁时娶妻,后来生有一个儿子。释迦牟尼此后经常对人生问题进行思考,想到人有生有死,在生活中经常伴随各种病痛、忧愁和苦恼,认为人的生命是无常的,开始思索如何摆脱生死苦恼的道理。

当时在婆罗门教之外,有一些出家修行者,称为"沙门"。

他们修各种苦行,或是每日吃饭极少,或是用种种方法折磨自己的肉体,目的是为了摆脱现实的烦恼,求得生到天上,永远安乐。释迦牟尼由此受到启发,产生了离家出走,到山间林下修行的念头。在他29岁(有的佛经说是19岁)的时候偷偷离开王宫出走,走入深林剃去头发,从此开始过修"苦行"的生活。他在这个过程中学会了坐禅。

释迦牟尼修过6年苦行,据说每天只吃"一麻一米",变得骨瘦如柴。后来逐渐认识到即使修苦行也不能使人彻底解脱苦恼,便放弃苦行。据佛经记述,他先到附近的尼连禅河洗澡,上岸后接受一位牧女献的乳粥,然后坐在一棵毕钵罗树(后被称为菩提树)下坐禅思维,经过七天七夜,达到了觉悟。佛教称之为"成道"或"成佛"。

在释迦牟尼出家之后,父净饭王特地派五个侍者,前去守护和伺候他。当这五人看见释迦牟尼放弃苦行的时候,认为他已经受不起苦不再修行了,便失望地离开他到别的地方去了。释迦牟尼成道之后,便立即起身赶到鹿野苑(在今印度瓦腊那西城西北)找到那五位侍者,将自己觉悟的人生解脱的道理——"四谛"、"八正道"等向他们宣说,收他们为最初的弟子。他们便是佛教史上最早的出家人,称为"五比丘"。佛经称释迦牟尼在鹿野苑最初宣说佛法为"初转法轮"。"法轮"是对佛法的比喻的称呼,一是说佛法能摧破众生的烦恼邪恶,如同印度传说中的"圣王"转动"轮宝"(战车的神化)摧破山岳岩石一样;二是比喻佛的说法好像车轮一般旋转不停。

按释迦牟尼 29 岁出家,苦行 6 年计算,他成道时是 35 岁,直到 80 岁去世,在 45 年的时间内到处传教说法,在婆罗门教和各种沙门学派之外创立了佛教教团。

后来佛教传播的范围逐渐扩大,大约在公元前 3 世纪,佛教从印度国内传播到国外,逐渐成为世界性的宗教。在释迦牟尼去世后一二百年,由于佛教内部对戒律和教义产生不同的看法,原始佛教发生最初的分裂,分成许多部派,史称部派佛教。大约在公元前后,又从部派佛教之中产生了大乘佛教。

3.原始佛教的基本教义

从释迦牟尼创立佛教到他去世后一二百年佛教教团发生分裂,形成以大众部和上座部为代表的众多部派为止,在佛教史上称为原始佛教。根据原始佛教的经典《阿含经》等,原始佛教的基本教义是四圣谛和八正道、十二因缘、五蕴以及因果报应的理论。

4.四谛、八正道

"四谛"的字面意思是四个真实不虚的道理,是原始佛教关于人生为何具有苦恼和如何摆脱苦恼的四大真理。

苦谛

认为人生充满种种痛苦,也可以说人生是个充满痛苦的过程。佛教把各种苦恼归纳为八种:生苦、老苦、病苦、死苦、怨憎会苦（与自己所怨恨的人不得已而相会或结合；不能自由脱离自己所憎恶的环境或遭遇）、所求不得苦、爱别离苦（与自己相爱的人分离；离开自己爱恋的环境或年华、际遇等）、五盛阴苦（五阴指色、受、想、行、识，概指一切身心之苦）。

集谛

用以揭示人生苦恼产生的根本原因。佛教认为人的贪求欲望或"爱"是带来一切苦痛的根本原因，有时把"贪、瞋、痴"看作是万恶之源。认为由于有贪爱的欲望，并且对人生的道理无知（无明，或"痴"），便产生追求金钱利益和名誉的思想和行动，达不到目的便产生瞋怒感情，与别人发生冲突和争斗，从而烦恼丛生，不仅生前痛苦不已，并且招致死后在"五道"或"六道"中轮回。佛教在有的场合为了强调无知是造成各种苦恼的最根本的原因，便把"无明"置于首位。

佛教虽主张一切事物的生灭、聚散是由因缘（各种内外条件）决定的，但也继承了古老的灵魂不灭的思想。认为众生生前由于"无明"、"贪爱"等驱使，不可避免地要产生各种各样的善恶行为（"造业"），将导致死后灵魂在天界、人间、畜生、饿鬼、地狱的"五道"（加上阿修罗——恶神，为"六道"）之间轮回投生，不能从生死苦恼中得到解脱。

灭谛

认为灭除贪爱欲望，便断除了产生苦恼的原因，使自己永远不再轮回于生死苦海。这是原始佛教所追求的最高的精神境界。从《阿含经》上经常看到释迦牟尼向弟子描述自己达到的至高解脱境界是：

我生已尽，烦恼已灭，所作已办，不受后有。

意为我的现世生命已经结束，一切烦恼彻底断灭，修行已达圆满，从此将永远地摆脱生死轮回。这就是"灭谛"的实现，也就是所谓的涅槃。

道谛——八正道

讲达到灭除痛苦，进入涅槃境界的方法和途径。此即八正道，包括：正见（正确的见解）、正思惟、正语、正业（正确的行为）、正命（遵循正确人生原则的职业和生活），正精进（正确的修行）、正念（正确地忆念四谛的道理）、正定（正确地修行禅定）。其中最重要的是正见，相当于现代用语中的正确的立场和世界观、价值观，不过它是特指以四谛之理为指导的佛教的立场和世界观、价值观。

5.十二因缘

十二因缘，也称十二缘生，是以人生为对象的缘生说，是佛教教义的重要理论基础。

何为因缘或缘生？佛教认为，一切事物和现象产生、变化都有一定的条件。这个条件便是因缘。因是内因，是根本原因；缘是外因，是辅助因素。有时因、缘通用，因为缘也是一种原因。由于具备一定因缘便有相关事物生起或消灭，此为缘起。佛经中常见的解释是：

此有则彼有,此无则彼无;此生则彼生,此灭则

彼灭。

佛教以十二因缘来解释造成人生苦恼的过程和原因,是
按照佛教的理解把人生现象分成十二个连续的环节:

无明——行——识——名色——六处——
触——受——爱——取——有——生——老死

认为它们前后之间是互成因果,互为生灭的条件,是用来
说明四谛中的苦、集二谛的。

对此十二因缘分开加以解释,"无明"即"痴",是对佛教
的教义(四谛等)不了解,被认为是造成众生流转生死的根本
原因。"行"是指由行为所造成的一种影响作用、形成力(业
力)。"识"是指感觉和意识活动,包括眼、耳、鼻、舌、身、意六
识。原始佛教有时把"识"看做是独立的精神实体,称之为
"识神",即灵魂。"名色"是指人的肉体和精神。"名"指受、
想、行、识四蕴(也称四阴);"色"指五蕴中的"色",相当于物
质,由两者构成生命体的形神关系。"六处"是指人的感觉器
官和意识机能,包括眼、耳、鼻、舌、身、意六根。"触"是接触外
界时产生的触觉和知觉。"受"指感觉。"爱"即贪爱,对物质
的或精神的东西的追求、爱恋意向。"取"是执著地求取、占取
各种东西及固执错误见解等。"有"指众生和生存的环境。
"生"是生命出生。"老死"是生命的衰老与终结。

在原始佛教的后期,在讲十二因缘时已经把其中的"识"

解释为"识神",把"名色"解释为胎儿,从而把十二因缘解释为人生秉承前世业因投胎、出生和生长的过程。到了部派佛教时期,以"说一切有部"为代表的学僧对十二因缘作了"三世两重因果"的解释。可用下图表示:

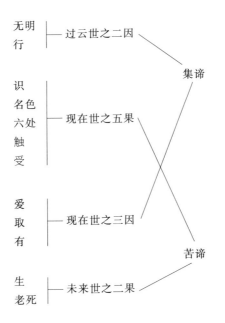

这样,十二因缘便被改造成由"无明"引起的生死轮回的过程了。

6.五蕴论

五蕴论是原始佛教的哲学理论基础。

"五蕴"也译作"五阴",即色(地、水、火、风四种原素及其所造的一切东西,相当于现代所说的物质概念)、受、想、行(意志、意向)、识。佛教把它们看做是构成世界万物和众生的五种基本因素。认为它们在一定的条件下聚合,又在一定的条件下离散,因此众生的生(聚)灭(散)是无常的。既然众生和一切事物无非是由因缘和合而产生的,那么,它们就没有常住不变的实体或规定性。人的生命既然生灭无常,而伴随无常则有种种痛苦产生,因此人就不应当贪恋短暂易逝的人生,而应当追求摆脱一切苦恼的涅槃境界。

五蕴论本来是佛教用来反对婆罗门教的梵天(婆罗门教所奉的创造之神)造物说的重要理论,是原始佛教的哲学基础。从它与人生的关系,可以证明苦、集、灭、道四谛。由五蕴的聚散离合,可以推论出佛教的"三法印":一是"诸行无常",谓一切事物、现象生灭不定;二是"诸法无我",指一切事物、现象没有主宰者和常住不变的本性、本质;三是"涅槃寂静",谓永远超离生死苦恼的涅槃境界是清净永恒的。如果再加上"一切皆苦"则成"四法印"。这是对原始佛教的哲学概括,被认为可以用来判断是否真正佛教的三种或四种基本标志,所以称之为"法印"。

7.部派佛教

在释迦牟尼去世后的 100 年至 200 年间,佛教在印度本土发展是十分迅速的。公元前 4 世纪在印度兴起孔雀王朝,至阿育王在位(公元前 268-前 232)时建立了以华氏城为国都的奴隶制中央集权国家。佛教在向广阔领域的传播中受到各地经济、政治和文化习俗的影响,教团内部在对教义和戒律的认识上产生许多分歧,最后终于导致分裂,形成许多部派。从此原始佛教发展为部派佛教。

在后来兴起的大乘佛教的典籍中,一般把原始佛教和部派佛教统称为小乘佛教。实际上,部派佛教是小乘佛教向大乘佛教的过渡时期:一是将原始佛教以来的教义作进一步的深化和体系化,二是为大乘佛教的创立提供了基础资料。

以中国为中心的北传汉语系佛教的经典与以斯里兰卡为中心的南传佛教的经典,对由原始佛教分裂产生部派佛教的原因的说法不尽相同。据南传佛教的史书《大史》等记载,分裂为部派佛教的主要原因是教团内部对戒律产生不同的见解,而据北传佛教的汉译论书《异部宗轮论》和《大毗婆娑论》等,发生分裂的主要原因是对教义有不同见解,特别是有人对修行的最高果位是阿罗汉提出异议。实际上,从现存资料分析,原始佛教分裂为部派佛教既有教义方面的原因,也有戒律方面的原因。最初从原始佛教分裂出来的部派佛教是主张改革的大众部和坚持维护现状的上座部。此后在释迦牟尼去世后的 100 年至 200 年之间,又陆续从这两个部派产生众多的分派,北传佛教谓有 18 部,南传佛教谓有 20 部。

大众部系统和上座部系统的主要分歧是:

(1)在佛陀观方面,大众部系统认为释迦牟尼生来非凡,成佛以后具有广大神通和无限威力,所说的字字句句皆是佛法;上座部系统认为释迦牟尼是伟大的教主,但也有一般人所具有的烦恼,所说的话未必字字皆是佛法。

（2）对世界的看法上，大众部系统提出世界空假不实的见解；上座部系统，特别是其中最有影响的说一切有部认为"三世实有，法体恒有"，肯定过去、现在和未来的三世以及五蕴本身是真实的，用"色法"、"心法"和"心所法"（心理活动和精神现象）、"不相应法"（谓既不属心又不属色）对世界上各种有"生灭"的现象（所谓"有为法"）进行分类，而将没有"生灭"的涅槃等归之为"无为法"。

（3）在对人死后所谓"轮回"的问题上，上座部系统作了比较深入的论证，其中有的部派提出轮回是有主体（音译"补特伽罗"）的，它承载前生的善恶业因投入母体，形成今世的生命；有的部派提出相当灵魂概念的"一味蕴"是轮回的主体。

（4）大众部系统提出人先天具有的"心性"是清净的，只是后来受到情欲的污染才变为"不净"的，在其修行理论中已经含有顿悟的成分；上座部系统基本因袭原始佛教的主张，但对如何进行禅观，如何渐次地领悟四谛，以及在关于修行的阶段和解脱的果位等方面，在理论上作了进一步的体系化和细致化，特别是说一切有部在这方面尤为突出。

比较起来，大众部系统开化倾向明显，主张也简单易行，而上座部系统趋向保守，教义日益繁杂，主张累世修行。大众部系统对大乘佛教的产生有直接的影响。

8.小乘与大乘，大乘佛教的兴起和主要教派

公元 1 世纪初，在古印度西北兴起由大月氏人建立的贵

霜王国,占领横跨中亚和印度西北的广大土地。在印度内地,公元 4 世纪以摩揭陀为中心兴起笈多王朝,印度开始进入封建社会。

大乘佛教兴起于公元 1 世纪的印度南部,后传播到印度西北,在贵霜王朝迦腻色迦(约 2 世纪中叶)在位时有较大发展。原始佛教和部派佛教在教义上基本属于一个体系,被大乘贬为"小乘"。

"大乘"意为大的乘载物或广阔的道路,自称能运载无量众生从生死苦恼的此岸到达觉悟解脱的彼岸;"小乘"意为小的乘载物或狭窄的道路,大乘说它只可运载少量众生到达解脱的彼岸。大乘佛教是在大众部教义的基础上创立的,在发展中又受到印度民间宗教信仰以及希腊、伊朗文化的影响,带有较多自由色彩和神话的因素,在对于宇宙万物的本质、人的心性以及关于修行解脱等问题的论证中具有更丰富更深刻的哲学思辨成分。在大乘兴起之后,小乘并没有灭亡,而是与大乘并行传播,直到现在仍在南亚东南亚各国流行,在教派上属于上座部佛教,然而绝不使用带有贬义的小乘的称呼。

大约在公元 2 世纪以前已经形成许多大乘经典,其中对后世影响较大的有《般若经》、《法华经》、《华严经》、《无量寿经》、《维摩诘经》等。这些佛经虽称是佛说,但实际是后世某些佛教学者假托佛的名义编述的,反映了佛教思想随应时代的发展。以《般若经》为代表的大乘经典讲"诸法性空",认为世界上一切物质的和精神的事物、现象("诸法")从本质上看都是空幻无实的,然而所谓的"空"并不意味着绝对的无,认为是有其"假相"(暂时的与虚假的相状)存在的,进而提出了"色(相当于物质)不异空,空不异色。色即是空,空即是色"以及"不生不灭,不常不断"的"中道"或"不二"的观察问题的方法,构成大乘佛教的重要理论基础。

大乘佛教在此后的发展中,主要形成两个最有影响的教派,一个是大乘中观学派,一个是法相唯识学派。

9.大乘中观学派

中观学派是大乘佛教中的重要派别之一,代表人物有龙树(约公元150-250)及其弟子提婆。他们在解释《般若经》学说的基础上建立了大乘中观学派。龙树著有《中论》、《十二门论》和《大智度论》,提婆著有《百论》,以一切皆空的思想为基础,论证世界万物不生不灭,不常不断,不一不异,不来不出的中道观点,并对外道(佛教以外的学说或教派)、小乘的观点进行批评。他们主张的真(真谛、出世间、佛与菩萨、彼岸、涅槃境界等)、俗(俗谛、世俗社会、现实人生、生死烦恼等)相即与不二的观点,所谓"不离于生死而别有涅槃"等等说法,旨在缩小佛教教义中的"世间"与"出世间"的距离,对后世佛教借助这种思想深入社会民间及世俗化有很大的影响。

10.法相唯识学派

大约4、5世纪在印度产生了《大涅槃经》、《胜鬘经》、《解深密经》、《楞伽经》等大乘经典。这些经典虽也宣传一切皆空的思想，但又增加了一些新的内容：一方面对大众部的"心性本净"思想作了重大发展，主张一切众生先天就具有与佛一样的本性，称之为佛性（意为成佛的内在依据或基质），一切众生皆可成佛；另一方面对《法华经》中所说的各类众生皆能成佛的说法作了系统的论证。这一时期的大乘佛教经典的共同特点是从各个不同的角度对心性问题作了比较深入和集中的论述。

大乘法相唯识学派也叫瑜伽行派，早期学者有弥勒（有人认为此名是假托佛教神话中的弥勒菩萨）、无著、世亲三人。署名是弥勒撰述的著作有《瑜伽师地论》等，无著的著作有《显扬圣教论》、《摄大乘论》等，世亲的著作有《摄大乘论释》、《唯识三十颂》、《十地经论》等。他们是在对《解深密经》、《胜鬘经》、《楞伽经》等经所论述的心性思想作了深入论证的基础上，建立起了系统的唯识学说的。

唯识学说的基本内容是认为世界万有和一切人的正常认识皆虚幻不实，它们不过是"唯识"所变。这一学说认为，具有变现世界万有功能的是人的心识，有八种，除眼、耳、鼻、舌、身、意"六识"之外，还有第七识"末那识"、第八识"阿赖耶识"。认为末那识是沟通前六识和第八识阿赖耶识的，为意识所依；它将阿赖耶识执为"自我"，能够分辨是非善恶，相似于现代所说的主体意识与思辨功能。最重要的是阿赖耶识，被认为是生命的主宰，相当于现代用语中的精神或灵魂。认为此识藏有种种精神性的"种子"(实指种种精神功能),是产生一切物质的和精神的现象的本源。认为修行的目的就是舍弃此识原有的情欲烦恼的种子,达到觉悟解脱。

唯识学派学者陈那是世亲的弟子,对唯识学说和佛教逻辑"因明"学有发展。在陈那之后有无性、护法等人。5世纪以后,位于印度西北的那烂陀寺(在今比哈尔邦)是唯识学派的传法中心。7世纪唐朝高僧玄奘到印度求法,就是在这里跟护法的弟子戒贤学习法相唯识学说的。玄奘所翻译的唯识学派的重要论书《成唯识论》主要介绍的是护法的观点。

11.密教

8世纪至12世纪,信奉伊斯兰教的阿拉伯国家不断向印度扩张,到12世纪末占领了孟加拉、比哈尔等,统治了北印度。在这个动荡不安的时期,印度曾兴盛过密教。

密教是大乘佛教与印度教(在原来婆罗门教基础上吸收佛教、耆那教等教义成分而形成)信仰相结合的产物,是大乘佛教的最后阶段。密教之"密",意为秘密、秘奥、深奥、难为人知。据称是"法身"(佛法的抽象化、人格化)佛大日如来所说的教法是密教,而无数的"应身"或"化身"(适应不同场所、时间显现出来向众生传授佛法的佛,谓历史上创立佛教的释迦牟尼只是其中的一佛)所说的教法是显教(意为浅显、浅略之教)。密教以《大日经》和《金刚顶经》等经典为主要依据。这一教派吸收了大乘中观、唯识学说的思想,又吸收印度教和印度民间的某些信仰成分,以重视繁杂的祭祀、仪规、咒术和拥有浓厚的神秘主义色彩的教义为特色。后期密教吸收了印度教性力派的做法,将男女性行为引入教义和修行方法之中,形成"左道密教",日趋堕落。

公元 8 至 12 世纪在印度的孟加拉和奥里萨一带立国的波罗王朝曾支持密教,建立超岩寺(或译超行寺)作为密教道场,那烂陀寺也成了密教中心之一。

12.佛教正式信徒的组成

佛教信徒主要由出家"四众"或"五众"和在家"二众"组成。"众"即"僧伽",一般须四人以上。出家"四众"包括:比丘,一般称和尚;比丘尼,俗称尼姑。二者皆受过具足戒。沙弥,七岁以上,受过十戒,尚未受具足戒的男性,俗称小和尚;沙弥尼,仅受过十戒的出家女性。以上为出家"四众"或"四部众"。如果将"学法女"(式叉摩那,在受具足戒前二年学习六种戒法的沙弥尼)加上,为出家"五众"。在家"二众"是男居士(优婆塞)、女居士(优婆夷),受过五戒,在特定时间要遵守八戒。

13.五戒、八戒、十戒和具足戒

"戒"是佛教"三学"(戒、定、慧)之一,音译"尸罗",意译为"惯行",转为"行为"、"习惯"、"道德"等,是用来规范佛教信徒行为,"防非止恶"的戒规,有小乘戒和大乘戒。小乘戒有在家男女居士遵守的五戒、八戒,出家人受持的十戒、具足戒。

五戒:不杀生,不偷盗,不邪淫(不发生不正当的两性关系),不妄语(不说谎话),不饮酒。

在集中修行的"斋日"期间要持八戒(也称八关斋戒),除将五戒中的"不邪淫"改为彻底的"不淫"之外,还有不在豪华宽大的床上睡、坐,不盛装打扮并观看歌舞,过了中午不再进食。

十戒是沙弥戒和沙弥尼戒,在五戒外,还有不用香料花环打扮装饰,不观看歌舞,不在宽广大床上坐,不非时食(过午不食),不蓄金银财宝。

具足戒,也称近圆戒,出家者只有受过此戒才能成为比丘、比丘尼。按照中国唐以后最盛行的《四分律》,比丘戒有250条,比丘尼戒有348条,二者主要的戒条相同。最重的戒有四条,称"波罗夷罪",犯者被开除僧团("不共住"),有淫、盗、杀、妄(大妄语,妄称自己得道成圣);其次为"僧残罪",犯者经过严格的在僧众面前忏悔的程序,才能被保留在僧团,有十三条,如手淫、触摸女人身体、诬陷好人、破坏僧团等。此外还有很多情节较轻的戒条,以及有关日常修行和生活的规则、仪规等。中国在唐以后依用道宣对《四分律》的论释,他将此小乘律纳入大乘佛教的体系。(详后)

14.什么是十善

佛教主张善恶因果报应和三世(过去世、现在世、来世)轮回的理论,认为善有善报,恶有恶报,个人生前的行为(业因)决定死后轮回处境的好坏,行善者或生天界,或生人间,人间又有贫富寿夭之别;为恶者或生为畜生,或生为饿鬼,或下地狱。何谓善?主要有十善:不杀生、不偷盗、不邪淫(不发生不正当的两性关系)、不妄语(不说谎言)、不饮酒、不两舌(不挑拨离间)、不恶口(不骂人)、不绮语(不花言巧语)、不贪欲、不嗔恚(不发怒)、不邪见(不产生违背佛教的见解)。与此相反,则为十恶。

15.什么是大乘戒

大乘戒,也称菩萨戒,中国最流行的是传为后秦鸠摩罗什译的《梵网经》。有十种重戒,包括:杀、盗、淫、妄语、酤酒(卖酒)、说四众过、自赞毁他、悭吝加毁、嗔怒又不听人悔过、诽谤三宝(佛法僧);四十八轻戒,有不敬师友、饮酒、食肉、食葱蒜等"五辛"、报仇等等。此戒,出家人要受,在家居士也可以受,实际是对上述小乘戒的补充。此外,还有《菩萨地持经·戒品》《瑜伽师地论·菩萨地·戒品》所讲的大乘戒,但不很流行。

16.南传佛教和北传佛教

佛教在公元前 3 世纪开始向印度周围的国家传播,逐渐发展成世界性的宗教。最早传到印度以南的斯里兰卡国,然后传到东南亚的泰国、缅甸、柬埔寨等国,形成南传上座部佛教,依用的是巴利语经典,也称巴利语系佛教。公元前后,佛教向北传到中国,然后以中国为中心传到朝鲜、日本以及蒙古、越南等地,形成北传佛教。北传佛教主要分两支:一是流传地域最广,信众最多的汉语系佛教,用汉语经典;一是在西藏地区发展起来为藏族、蒙古族、裕固族等民族信仰的藏传佛教,用藏语经典,也称藏语系佛教。此外,在云南省的西双版纳傣族自治州、德宏傣族景颇族自治州、思茅地区、临沧地区等地还有南传巴利语系佛教,为傣族、布朗族、阿昌族等民族信仰。

佛教传入中国及其发展

1.佛教传入中国

印度佛教在公元前 3 世纪已经传播到国外,开始成为世界性的宗教。大约在公元前 2 世纪,佛教沿着通贯亚洲大陆的丝绸之路传到中国现在的新疆地区,然后经过玉门关、河西走廊传到内地,逐渐传播到全国,深入到民间。

所谓丝绸之路也称丝路,主要路线是:东端起自陕西渭水流域,向西通过河西走廊,或经今新疆境内的塔里木河北面的通道,在疏勒(今喀什市)以西越过葱岭(帕米尔高原),经过大宛(今费尔干纳盆地),沿着锡尔河北岸和咸海、里海的北侧,通往西方各地;或经今新疆境内塔里木河南面的通道,在莎车以西越过葱岭,经过大月氏(今阿姆河的中上游)西行,通过今阿富汗、伊朗、伊拉克、叙利亚和土耳其等国,一直可达到地中海的东岸,再转至欧洲的罗马等地。大约从公元前 2 世纪以后,中国的丝、丝织品和其他商品沿着此路运往中亚、中东和欧洲。古代中西文化交流也以丝绸之路为主要通道。

佛教是伴随来自印度、中亚一带的商人、使者和移民,先传到今新疆地区,然后传到中国内地的。

2.1998 年定为佛教传入中国二千年的历史根据

从现存中外交通史料和某些佛教文献推断,大约在公元前 2 世纪佛教已经伴随来自印度、西域的商人、移民传到中国现在的新疆地区,然后逐渐传到内地。

关于佛教传入中国内地的时间,在历史文献中最有影响的说法有两种:一是西汉末期哀帝元寿元年(公元前 2 年),一是东汉明帝永平年间。现在学术界一般采取第一种说法。

据《三国志》《魏书·东夷传》注引《魏略》记载:

　　昔汉哀帝元寿元年,博士弟子景庐受大月氏使
伊存口受《浮屠经》。

"博士"是学官,秦代开始设置,"掌通古今,秩比六百石",地位相当于县官。汉武帝提倡儒术,建元五年(前 136)在京城长安(今西安)设置五经(《诗经》、《书经》、《礼记》、《易经》、《春秋》)博士;第二年正式"罢黜百家,独尊儒术",为扩大培养儒家人才,"为博士官置弟子五十人",兴建太学作为传授学业之所。(《汉书》卷十九《百官公卿表》、卷八十八《儒林传》等)可见在汉代"博士弟子"就是跟随博士官学习五经的学生。浮屠,即佛陀;从《魏略》的介绍来看,《浮屠经》不是

一部普通的佛经,当是讲释迦牟尼佛生平传说的经,如后来汉译的《本起经》、《本行经》之类的经。大月氏(或作大月支)原居中国敦煌、祁连山一带,公元前2世纪因被匈奴战败,被迫西迁,征服大夏,占领阿姆河、锡尔河流域,大约在公元1世纪建立贵霜王国,并将所占地域扩展到整个印度西北地区。此地及周围地区早在公元前3世纪已经信奉佛教,大月氏在迁徙到原大夏所居地方之后,很快就受当地风俗影响也信奉佛教。从公元前后中国与印度、西域的交通来看,《魏略》所记汉哀帝时大月氏使者向博士弟子口授佛经的说法是可信的。

在此后的《世说新语·文学篇》刘孝标之注、《魏书·释老志》、《隋书·经籍志》等书中也有这种记载,但受经的博士弟子之名或作"秦景宪"、或作"秦景"。然而在隋费长房《历代三宝记》卷二则谓:"哀帝世元寿年中景宪使于大月支国,受得《浮屠经》";唐法琳《辨正论》卷六谓引《魏略》及《西域传》曰:"前汉哀帝时秦景使月氏,国王令太子口授于景,所以浮屠经教,前汉早行。"是说博士弟子景宪或秦景出使大月氏受经而归。这些记载晚出,是在佛、道二教辩论佛道先后与优劣的背景下篡改前引《魏略》的文字而成,情节是不可信的。

1998年中国佛教界和学术界纪念佛教传入中国二千年,是以有正史明确记载佛教传入中国京城和内地为标志举行纪念活动的。

3.佛教的最早信奉者——楚王刘英

佛教传入中国之后,最早接受佛教信仰的是社会的上层人士和知识分子。据现存资料,东汉楚王刘英是最早信奉佛教者。刘英是汉明帝(公元 58-75 年在位)的异母弟,在光武帝建武十七年(公元 41 年)被封为楚王,第二年到达封国楚(当今江苏、安徽、河南、山东交界处),在明帝即位后多次回洛阳朝见皇帝。当时社会上盛行"黄老"(黄帝、老子)、神仙方术,人们把刚传入的佛教也看作是一种方术,将佛当作神仙,依附于黄老进行祭祀。刘英就是这样做的。

《后汉书》卷四二《楚王英传》记载,楚王刘英晚年"更喜黄老,学为浮屠斋戒祭祀"。永平八年(公元 65 年)明帝下诏天下有死罪者可以用缣赎罪,刘英派人到国相(中央派驻封国主持政务者)献黄缣白纨赎罪。明帝得知,立即下诏:

> 楚王诵黄老之微言,尚浮屠之仁祠,洁斋三月,
> 与神为誓,何嫌何疑,当有悔吝? 其还赎,以助伊蒲
> 塞(按:男居士)、桑门(按:沙门)之盛馔。

是说刘英既信奉黄老,读诵黄老之言,又祭祀佛陀,并且按照佛教的规定定期持戒吃素,对于他派人上缴黄缣白纨赎罪的做法表示谅解,示意他无罪,不必心怀不安,并令退回缣纨让他作供养居士、僧人之用。

刘英奉佛的例子表明,在东汉初期佛教已经被作为黄老

方术的一种在社会上层部分人中流传。

4.东汉明帝派使者到印度求法的传说

过去一般以东汉明帝于永平年间向大月支派遣使者求法,迎请印度僧人来华作为佛教传入中国的开始。汉明帝有没有遣使求法呢? 从现存一些史料分析,这是可能的,但却不是佛教传入中国的开始。

关于此事的最早的记载是汉译《四十二章经序》。大意是说汉明帝"夜梦见神人,身体有金色,项有日光,飞在殿前",早晨问群臣所梦为何神,傅毅回答说:"天竺有得道者,号曰佛,轻举能飞,殆将其神也。"是说明帝自述夜里梦见一位具有金色身体,后颈带有日光,能够飞翔的神,问群臣这是何神,有人告诉他这就是印度的佛。明帝于是派使者到大月支抄写佛经《四十二章经》而归。

东汉末年的牟子《理惑论》也有类似记载,但情节有所发展。此后受佛、道二教斗争的影响,一些人出于不同的意图把明帝遣使求法加以修饰和补充,在此基础上增添不少新的情节。一是确定求法的时间,西晋道士王浮伪造《老子化胡经》,说老子早在周幽王时已出关到西域教化"胡"人,释迦牟尼佛是他的弟子,明帝在永平七年(公元 64 年)遣使求法,永平十八年(公元 71 年)归(《广弘明集》卷九载《笑道论》引);还有其他的说法,然而最有影响的是《历代三宝记》卷二所说永平七年遣使,永平十年(公元 67 年)归国的说法。二是增加迎请印度僧人迦叶摩腾(或作摄摩腾)、竺法兰来华的情节,说使者用白马驮经及佛像而归。南齐王琰《冥祥记》(《法苑珠林》卷十三引)、梁慧皎《高僧传》卷一、《历代三宝记》卷二等的记载最有影响。

永平求法说在后赵王度上呈石虎的奏议中,在北魏太武帝取缔佛教的诏书、唐太宗的《三藏圣教序》以及在唐代韩愈上宪宗的《论佛骨表》等重要文献中也被作为历史事实反复引用,以此作为佛教传入中国的开始。这种说法之所以具有巨大影响,可能与所传说的佛教三宝(佛像、佛经、僧人)同时传入有关。从当时历史背景考察,汉明帝求法说的基本情节还是不容轻易否定的,至于汉明帝何年派遣使者、使者是谁以及何年归国等细节,因为史书无征,可以阙疑。但这只是佛教向中国的进一步传播,而不是佛教传入中国的开始。

现在洛阳东 12 公里处有一座古老寺院名白马寺,据传说最初就是明帝时为安置来华的印度僧人摄摩腾、竺法兰而建的,他们在此翻译《四十二章经》等。寺院取名"白马",一种说法是因明帝遣使迎归印度僧人,是用白马驮经而来。现在寺院主要为明清建筑,寺门两旁有传为摄摩腾、竺法兰二僧的墓。白马寺在晋代也是重要的译经场所。

5.佛教是如何适应中国古代社会的

社会存在决定社会意识。佛教传入中国后,必须适应中国古代的社会环境,必须与以皇帝为首的封建中央集权的体制相适应,与以儒家为正统的多元文化结构相适应,与以汉民族为主体的由多种民族组成的中华民族的统一国家相适应,否则就难以立足,不能发展。历史证明,佛教以其教理的多样性和融摄性、行为规范的忍让和协和精神、处世应变的"智巧"("方便"),善于将世与出世、王法与佛法、戒律与伦理等相会通,因时因地作出适当的回应和解释,概括说来主要表现在以下三个方面:

（1）以"助王化于治道"来适应中国古代的国家政权;

（2）灵活运用中国传统文化思想对佛教教理和戒律进行解释,与以儒家为正统的多元文化相适应和会通;

（3）通过发挥佛教有关教义和社会教化活动来与由多民族组成的统一国家相适应。

正因为佛教能够适应中国的地理历史环境,适应不同时期社会的需要,所以能够在中国这个广袤的国度扎下根来,并得到迅速的发展。古代虽也发生多次排佛事件,但这不过是佛教在漫长发展过程中的短暂插曲。佛教终究在与中国的以儒家为代表的传统思想文化和生活习俗的会通结合中演变为中华民族的宗教之一,成为中国多元的传统文化的一个重要组成部分,并且还流传到东亚各国,直到今天还在广阔的领域发挥作用。

6.佛教如何"助王化于治道"

中国古代封建君主专制主义强大,帝王要求臣民在一切方面服从,在伦理道德和礼仪的领域,忠于君主,叩拜君主是最重要的行为规范,维护社会秩序是最基本的职责。

佛教虽要求僧尼报四恩:父母之恩、众生之恩、国王之恩、三宝之恩,但又认为自己超越于世俗社会之上,沙门不受人间伦理的制约,不仅不应当礼拜父母,而且连君主也不应当礼拜。

东晋慧远(公元334-416)曾针对太尉桓玄要沙门礼敬王者的命令,写了著名的《沙门不敬王者论》,提出了影响深远的佛法与王权王法的关系论。他主要提出两点:

(1)对于人数众多的在家信徒来说,必须尊奉世俗纲常(三纲:君对臣、父对子、夫对妻处于支配地位;五常:仁、义、礼、智、信)与名教(封建等级名分和礼教)。

(2)出家人是超出世俗社会之外的"方外之宾",不把"存身"(维持生存)和"顺化"(顺应自然运化)当作追求的目标,对于与"道大、天大、地大"(出自王弼本《老子》)共同"资生通运"(利益民生,协调自然运化)的王侯,就不必如同在俗的人那样加以礼拜。他希望当政者尊重出家者超离尘世生活,专心寻求解脱的身份和愿望,不要按照常规要求他们。然而他同时强调,僧人虽不在形式上礼拜王者,但可以通过自己传播佛法,协助皇帝教化民众,使社会治理,即所谓"助王化于治道","协契皇极"。

在这里,慧远提出了处理王法和佛法的关系的原则:一方面明确表示占信徒人数最多的在家奉佛者必须遵守王法和纲常名教,从而使统治者放心;另一方面又要求统治者尊重出家僧尼作为"方外之宾"的特殊身份,允许他们可以不礼敬王者,而完全可以期望他们对民众从事教化,为社会治理安定发挥积极作用。后世对于僧尼是否应当礼拜王者的问题虽仍有争论,但总的看来,僧尼不必固守世俗礼法的特殊身份是受到社会承认的。

佛教在与儒、道二教的争论中,经常用佛教可以通过教化民众维护社会安定,"助王化于治道"来自我辩解。这样讲是否有根据?

佛教关于人生苦、空幻的理论和善恶报应、彼岸的说教,可以导致信徒满足于少欲知足,安分守己。大乘佛教中的"菩萨之道"虽可以适应场合作出各种解释,受压迫者为了进行反抗从中可以找出利用的成分,但总的说来大乘也要人维持现状,不以追求现实利益为最高目的。这与佛教的"无诤"、"忍辱"、"慈及怨憎"、"无念"等主张也是有密切关系的。佛教的戒条以及伦理说教,也引导信徒遵守纲常名教。这样,佛教对于维护封建统治秩序自然是有利的。然而应当指出的是,儒、道二教也通过自己的渠道和方式对社会起到同样的作用。由于佛教的教义特点,也决定了它在原则上不允许为了自身的利益而对别的宗教或教派采取暴力行动,这对社会的安定也是有利的。

佛教,特别是大乘佛教,不仅不要求信徒人人都出家,也不要求他们放下分内的工作去专心奉佛。至于对当政者,虽然希望他们支持佛教,但并不要求他们因为奉佛而妨碍行施政务。南朝宋文帝时,印度高僧求那跋摩来华,文帝对他说:"弟子常欲持斋不杀,迫以身殉物,不获从志。法师既不远万里来化此国,将何以教之?"求那跋摩对他说:"夫道在心不在事,法由己非由人。且帝王与匹夫所修各异……帝王以四海为家,万民为子,出一嘉言则士女咸悦,布一善政则人神以和。刑不夭命,役无劳力,则使风雨适时,寒暖应节,百谷滋荣,桑麻郁茂。如此持斋,斋亦大矣。如此不杀,德亦众矣。宁在阙半日之餐,全一禽之命,然后方为弘济耶!"意为帝王实行善政,把天下治理好,就是最好的持斋,最好的奉佛,未必要废除刑杀。宋文帝称赞此话为"开悟明达"(《高僧传》卷三《求那跋摩传》)。大乘佛教的真俗不二,世法即是佛法的说法,也是不要求人们脱离现实生活去寻求觉悟解脱的。

佛教有"五戒"、"十善",并且提倡慈悲、利他精神及其他道理的说教。古代的僧俗学者经常适应时代和环境进行诠释,以与儒家的伦理观念和道德规范会通,互相补充。这一点是中国历代统治者特别重视并予以肯定赞扬的。

南朝宋文帝尊奉佛法,认为佛教劝善可以导致天下太平。侍中何尚之对此作了进一步的发挥,在列举了晋代以来信奉佛教的官僚士族的名字以后,认为佛教有助于社会安定,说:"百家之乡,十人持五戒,则十人淳谨矣;千室之邑,百人修十善,则百人和厚矣。传此风训,以遍宇内,编户千万,则仁人百万矣。……若持一戒一善,悉计为数者,抑将十有二三矣。夫能行一善,则去一恶;一恶既去,则息一刑。一刑息于家,则万刑息于国……即陛下所谓坐致太平者也。"(《弘明集》卷十一《答宋文帝赞扬佛教事》)对于佛教通过宣传和贯彻五戒、十善等戒条,用善恶说教进行教化,在维护封建社会秩序方面所能起到的作用,作出了充分的肯定。可见,王权王法是可以借助佛法而得到维护的。

后来,宋真宗也看重佛教的五戒,在其《崇释论》中说:

> 奉乃十力(按:指佛,传说佛有十力,称如来十力),辅兹五常,上法之以爱民,下遵之而迁善……释氏戒律之书与周孔荀孟,迹异而道同,大指劝人之善,禁人之恶:不杀则仁矣,不盗则廉矣,不惑则信矣,不妄则正矣,不醉则庄矣。(《佛祖统纪》卷四十四)

后面列举的不杀、不盗等是佛教的五戒,以之与儒家的仁、廉等伦理规范相比拟。

对于佛教在维护社会安定秩序方面的作用,有见识的僧人不仅完全承认,而且愿意主动地配合统治者去发挥这种作用。宋代禅宗云门宗高僧契嵩曾向仁宗皇帝上《万言书》,论证儒教排佛之误,认为佛法在正人心、致教化方面可以作出重要贡献,说:"若今佛法也,上则密资天子之道德,次则与天下助教化,其次则省刑狱,又其次则与天下致福却祸。以先王之法裁之,可斥乎,可事乎?"(《镡津文集》卷八)佛教不仅仅有自己的教义,而且有自己的组织、僧俗信徒。历史证明,历代朝廷凡是政策得当,佛教在维护社会秩序安定和建设文教事业、培育和发展全民族的道德情操和公德意识方面,是起到了积极作用。

7.佛教与以儒家为正统的多元文化相适应

中国古代文化主要由儒、释、道三家组成,其中儒家被封建国家奉为正统地位。佛教从两汉之际传入中国以后,是在不断地适应中国以汉族为主体、以儒家为正统的社会环境当中传播和发展的。

佛教与儒家、道教经常发生不同程度的争论:对国家治理有利还是无利,对民众的道德教化是有益还是无益,在思想上谁优谁劣?但是如果仔细加以分析,不难发现它们之间争论的性质是有所不同的。因为儒家是处于统治地位的意识形态,所以佛教与儒家的争论主要是为了争取合法地位,继续在中国生存和发展,而与道教的争论主要是争夺在依附儒家的前提下的先后地位、教义的优劣,以便取得社会的信任,争取更多的信徒。在有的场合,道教与儒家形成暂时的联盟,唆使朝廷发起禁毁佛教之举,如北魏道武帝、唐武宗时所发生的灭佛事件,但佛教对于儒家是官方意识形态一直抱有清醒的认识,把说服和争取的重点放到儒家一边。针对儒家对佛教的批判和敌视,佛教方面采取和平的"护法"自卫手段进行自我辩护,而所辩护的内容不外是佛教可以"辅教",即可以辅助朝廷和儒家进行道德教化,以利于社会秩序保持安定。

从魏晋南北朝到隋唐及其以后,历代几乎都有儒家批评佛教,其中最著名的有唐代韩愈、宋代的欧阳修、朱熹等人,都从理论的高度对佛教进行批评。佛教方面为回应这种批评,先后出现一些护法著作,南朝梁僧祐的《弘明集》、唐代道宣的《广弘明集》收载了大量佛教僧人、居士写的反驳儒家和道教的批评、为佛教辩护的论文,此后著名的有宋代居士张商英的《护法论》、云门宗僧契嵩的《辅教编》、金朝居士李纯甫的《鸣道集说》、元朝居士刘谧的《三教平心论》等。

中国古代的儒者的身份或官或民,情况不一。中国儒家的最高政治代表自然是皇帝,其次是从中央到各级的政府官员,再次是普通的在民间的儒者。佛教僧俗学者的护法著作,就是面向这些人,特别是面向其中的当政者的。从整体来说,中国汉地佛教没有直接或间接左右政权,是处于儒家的依附地位的。由此不难理解,上述的护法著作的作者虽然作为佛教方面的代表,但不得不向儒家方面主动靠拢,反复表白和申辩:

(1)承认儒家在现实社会思想文化、政治领域的绝对支配地位。说儒家在"治外"（治理社会）和正纲常、明人伦、实施礼乐刑政方面所发挥的作用是佛、道二教不能代替的。

（2）强调佛、儒、道三教一致。说佛教不仅不否定儒家的纲常伦理，而且自身的教义中就具有这方面的内容，例如以五戒、十善比附儒家的以五常为中心的伦理道德等等。居士、曾任宰相的张商英《护法论》认为三教是一致的，只是在教化民众方面各有所重。"群生失真迷性，弃本逐末"，三教如同三种对此进行治理的药，"儒者使之求为君子者，治皮肤之疾也；道书使之日损损之又损者，治血脉之疾也；释氏直指本根，不存枝叶者，治骨髓之疾也"。又说，儒者言性，而佛者见性；儒者劳心，佛者安心；儒者贪著，佛者解脱；儒者有为，佛者无为；儒者分别，佛者平等……儒者治外，佛者治内。结论是："三教之书，各以其道，善世砺俗，犹鼎足之不可缺一也。"但依之行事所达到的效果是有高低之分的：儒家教人成为"名教君子"，道教教人成为"清虚善人"，佛教教人达到解脱。

（3）对于宋代以后儒家受佛、道二教影响而建立的新儒学——宋明理学，积极地用佛教的心性理论进行迎合和解释。契嵩《辅教编》把佛教的心性论与儒家的性命学说结合起来，说"心也者，圣人道义之本也；名也者，圣人劝善之权也"，批评当时儒者不知不信自己具有与佛相同之"心"，而只是认为"适义为理"，"行义为道"，实际所实践的不过是"外事中节之道理"，未能得到"圣人之大道"、"大理"；如果得到此大道、大理，则可如东汉的牟子所说"居家可以事亲，宰国可以治民，独

立可以治身,履而行之则充乎天地"。这里所说的"心"、"大
道"、"大理"即是佛教的真如佛性,认为可以作为修身、治国
的根本依据。

(4)表明佛教无论在贯彻五戒、十戒的戒条伦理方面,还
是在宣传善恶报应等教义方面,都可以辅助国家用纲常名教
教化民众,维护社会安定秩序。张商英《护法论》说,佛教僧尼
从事修行和教化,宣传善恶因果和其他教义,可以起到"小则
迁善远非,大则悟心证圣,上助无为之化,密资难报之恩",实
现"极治之世"。刘谧《三教平心论》表示,佛教与儒教并不相
违背,皆教人舍恶趋善,可以有助于世教,使天下坐致太平。

当然,他们在自己的护法著作中也反复论证佛教比儒、道
二教优越,但所强调的最优越的地方却是佛教的出世之教。
这对于儒家不能构成真正的威胁,而正是这一点,是常被儒者
讥笑为空寂无用的地方。由此就不难理解,为什么从整体上
说中国儒教与佛教能够长期和平相处,虽有争论,又能互相吸
收,互相补充,从而共同为维护封建社会秩序各自发挥积极作
用。

8.佛教与多民族组成的中华民族的统一国家相适应

中国历来是一个多民族国家,经过长时期的历史发展,形
成了具有强大的内聚力的中华民族。在这当中,国家一次又
一次地结束分裂而保持较长时期的统一,各个民族相互依存

的持续发展的经济文化联系,在近代以来各民族在联合抵御外来侵略和长期革命斗争中结成的休戚与共的关系,对形成统一的多民族的国家和持续发展的局面起到了决定性的作用。应当说,不仅儒家,而且也包括佛教在内的其他传统思想文化,在促成中华民族共同的心理和道德伦理体系、人文价值观念、文化习俗传统等方面各自都起到了特定的历史作用的。

回顾历史,从两晋十六国开始至南北朝结束,是中国历史上空前的具有深远意义的各民族大流动和大融合的时期,与此相应,也是在全国范围内的经济文化大交流和大发展的时期。在这个历史时期,以儒家为正统的多种思想文化都发挥过重要作用。儒、释、道三教争论虽十分激烈,然而它们之间同时又互相交流和彼此吸收,预示着更新更高层次的民族文化的形成。可以说,没有这个阶段,也就没有隋唐盛世的出现。在原来居住边远地区的各少数民族(所谓五胡等多种兄弟民族)入居中原,在北方建国的过程中,曾遇到来自儒家"华夷之辨"等传统观念的阻力。然而佛教的"众生平等"和善恶因果报应的教义却给予他们思想上的极大支持。按照佛教的善恶因果报应的理论,今世的富贵乃至成为国王,是前世行善积德的报应,在这里是不分民族的差别的。尽管这种报应说教的根据是虚幻的,但它在当时历史环境下所起的作用却是真实的,北方由"五胡"建立的政权的当政者是可以从中得到精神安慰和支持的。例如,后赵羯人石氏政权尊奉佛教,给予佛图澄为首的僧人很高的待遇。赵王石虎曾征求臣下对奉佛的意见,中书著作郎王度奏言,"佛是外国之神,非天子诸华所可宜奉"。石虎则表示,自己来自"边壤","佛是戎神,正所应奉"。(《高僧传》卷九《佛图澄传》)佛图澄的弟子道安、竺法雅、竺法汰、僧朗以及道安的弟子慧远等人在推进佛教中国化方面发挥了重要作用。北方前秦、后秦直至北魏,历代统治者都尊奉佛教。当然,在他们治理朝政过程中也得到了北方世家大族和儒者的协助。在南朝、北朝政权对立的情况下,南北方之间的佛教僧人之间仍保持密切的往来,在两地翻译和著述的大量佛教典籍也不间断地彼此交流。

此后,历经宋元明清各代,佛教成为汉族和众多少数民族共同信仰的宗教,不管是汉语系佛教,还是比汉语系佛教稍晚的在西藏等地流传的藏语系佛教、在云南等地流传的巴利语系佛教,都通过自己独特的方式和渠道对发展丰富多彩的中华民族文化,促进统一国家各个民族之间心灵沟通和文化习俗交流,发挥了重要作用。

9.中国人在翻译佛经过程中对经文的"汉化"和"改造"

这是佛教传入中国后实现民族化过程中的重要环节。

在佛教向中国社会的传播过程中,佛经翻译是一项重要的事业。大量来自印度或西域的佛教经典必须译为中文才能使中国人接受。在汉族和兄弟民族的佛教学者,以及来自印度、中亚佛教学者的密切合作下,从两汉至隋唐,约有5000多卷的佛经被译成汉文。中国学者在参与译经时,以自己熟悉的儒道学说和社会宗教习俗观念来理解佛经,并使用当时人们易于理解的语言概念来翻译佛经的字句,这样就把译者自己对经文的理解,把带有时代特色的词义丰富的汉字和词语,掺杂到佛教经典中去,从而迈出了佛教民族化的第一步。

佛教初传时,人们用当时流行的道家乃至神仙方术的思想和词语来翻译佛经中某些概念和经意。例如,有的经文把佛教所追求的最高修行目标的"涅槃"(彻底断除情欲烦恼,摆脱生死轮回的精神境界)译为"无为";把"禅定"(打坐聚精会神地思维)译为"守一"(原意是指守住心中的元气不使丧失);把"真如"(事物的真实本质、实相)译为"本无"(魏晋玄学"以无为本",也以此称被看作是世界本体的"道");也有的把"真如"译为"自然";把"菩提"(觉悟)译为"道"等等。

中国许多字、词含义丰富,如"道"、"心"、"性"、"理"等等。在翻译佛经用这些词语时,一般是根据场合而具有特定的含义,但在后世读佛经时很容易依据这些汉字、词汇的多种含义去理解经文。这些词语成为佛教进一步与儒、道等中国传统文化会通融合的重要概念。到隋唐时代,一些佛教宗派的创始人常利用"心"、"性"、"理"、"道"以及"佛性"、"自性"、"实相"、"法性"、"法界"等汉译佛经中的多义词,并且运用大乘佛教的"相即"(两个对立统一的事物或概念彼此等同,如"色即是空,空即是色")和"不二法门"(两个对立统一的事物或概念彼此不两立,如"非空非有"、"不生亦不灭"等)

的方法论,把主体与客体混同,本体与心性沟通,真实与禅境等同,以构建自己本派的教义体系,从而使这些佛教宗派的教义体系带有鲜明的不同于印度佛教的民族特色。

10.何谓"格义佛教"

在佛教的早期传播时期,一些学僧在向一般知识分子或民众讲述佛法时,经常借用儒、道典籍中的词语、概念和思想来比附和解释佛教的教义,这在佛教史上被称为"格义"。据《高僧传》卷四《竺法雅传》记载,后赵佛图澄的弟子竺法雅年轻时精读儒道经史,出家后精通佛教教义,有不少"衣冠士子"(儒者、士大夫)前来听他讲解佛法。他为了使这些对儒、道之学十分熟悉的人能够听懂佛法,特地"以经中事数,拟配外书",即将佛经中的词语(佛教概念前常冠以数字,如四谛、八正道等,称"事数")用儒、道经史("外书")中的词语、概念加以比附与解释,取得很好的效果。在当时有不少僧人用这种方法向门人、信徒讲述佛法。例如东晋时在北方的道安,在南方的竺法汰、慧远等人,也常用这种格义方法讲授佛经。

这种格义佛教,实际是会通佛教与中国传统文化的一种形式,对佛教的中国化起了促进作用。

11.南北朝时佛、儒、道三教之争

儒、释、道三教之间争论最多的是佛教适合不适合中国的国情,对维护封建社会秩序是有利还是无利,以及佛教与儒家、道教相比何者优劣的问题。争论的总的趋势,儒、释、道三教一致占主导地位。这种情况之所以产生,是由于三教所依附的社会基础相同,在社会上发挥的作用也是相同或一致的。

这里仅选取最具代表性的历史资料,并且以佛教为中心,对南北朝时期的三教争论略作介绍。

(1)佛教适合不适合中国的国情?对维护封建社会秩序是有利还是无利?

对此,儒者多从治国安民的角度对佛教进行批评,主要论点不外是:奉佛造寺,使国贫民穷;僧尼激增,使国家承担赋役者减少;僧尼离开亲人出家,不要妻子,违背儒家的伦理纲常;佛教教理虚妄,对民众进行欺骗。(详见《广弘明集》卷六、七《叙列代王臣滞惑解》)

佛教方面对于这种批评,除了在事实上作出辩解外,一般还论证佛教与儒家在思想上、对国家社会最终所发生的效用上基本一致来回应。

在道教方面,因为要取得统治者的信任和优遇,与佛教争夺社会民众,同佛教的斗争比较激烈,有时在斗争中采取联合儒家的策略。北魏太武帝在太平真君六年(公元445)下令强制取缔佛教("灭佛")固然是出于以儒家文教来"整齐风俗"的企图,同时也有听信儒者司徒崔浩的劝告,信奉寇谦之的天师道,厌弃佛教的缘故。在言论方面,对佛教彻底否定的当推某个道士假托南齐儒者张融所作的《三破论》,大意是:佛教本是羌胡所奉,不适合中国,无益于修身、齐家和治国。教义虚妄,耗财苦民,"入国而破国";离弃亲人,不讲孝道,"入家而破家";出家为僧,剃发苦修,绝嗣不孝,违背传统礼仪,"入身而破身"。

对此,梁朝刘勰著《灭惑论》逐一进行驳斥,指出佛教在教义上优于道教,对社会民众施行教化,于治国有利;通过个人出家修行而使祖先亲属的灵魂超脱苦海,也是尽孝的表现;佛教与世俗礼仪不同,以断除情累为志向,弃妻剃发,出家修行,是无可非议的。《三破论》的立论根据主要是儒家的纲常名教,《灭惑论》在反驳中对此并不反对,并且援引佛教教义一再解释佛教不仅不违背孝道等名教原则,而且是更彻底地贯彻名教的精神。这反映了佛教、道教即使在互相争论之中,在思想上也是共同依附于儒家的。

(2)佛教与儒家、道教相比,何者优? 何者劣?

儒家以中国正统思想文化自居,将佛教看作"夷狄之教",经常从伦理、思想和国家治理等方面对佛教提出批评。道教承认儒家的正统和优先地位,但却认为自己比佛教优越,说佛、道二教有"夷、夏之别",道教在教人养生、"兴善"、"仙化"等方面更适合华夏民族接受,批评佛教是夷戎之教,"悖理犯顺",不重孝道,所以道教是优于佛教的。然而面对佛教在统治阶级支持下已经在社会广泛流行的现实,又不能彻底否定

佛教,同时也表示道教与佛教也是一致的。（南齐顾欢《夷夏论》,载《南齐书》卷七五《顾欢传》）

佛教虽依附于在思想文化领域占据支配地位的儒家,承认儒家对现实社会的指导和统治,但同时认为在劝世人为善,维护社会安定等方面与儒家是一致的,然而佛教主张的善恶报应、三世轮回、解脱成佛等理论是儒家所缺少的,从这方面说佛教是优于儒家的。至于与道教相比,佛教虽认为自己优越,但同时也认为有一致之处,然而面对道教的攻击,对道教的批评也是最尖锐的。这些内容皆可在当时佛教僧人撰写的论述三教一致的文章中看到。仅举几例:

南朝宋宗炳《明佛论》提出,佛教与儒、道三教“虽三训殊路,而习善共辙”,对维护封建社会秩序都是有利的。他说:“今依周孔以养民,昧佛法以养神,则生为明后,没为明神而常王矣。”（载《弘明集》卷二）就是说帝王以儒家治国,信奉佛法以修养,就可以生为明君,死后灵魂超升,世代为王（神）。同时指出,佛教所讲的超出世人理解的“精神不灭,人可成佛,心作万有,诸法性空”等思想,是儒家所没有的。

宋司徒袁粲托为僧人“通公”撰文驳斥顾欢的《夷夏论》,其中说,佛教的戒行、礼仪、教法可以在中国流行,但它实际上比儒、道二教优越,说“孔、老治世为本,释氏出世为宗”,即使道教所追求的“仙化”,返老还童,也难免一死,而佛教所说的陶练精神,以求涅槃,却可达到不死。（见《南齐书·顾欢传》）

南齐张融写《门律》提出佛教与道教所追求的永恒寂静的终极目标(意为"道"与"真如"皆"寂然不动")是一致的,所以二者毕竟"无二"的,反对互相攻击。然而周颙认为这个说法不准确,道教是以《老子》为依据,以"虚无"为宗旨,而佛教以《般若经》为依据,归极于"法性",从教理上看佛教是优于道教的。(《弘明集》卷六所载相关文章)

北周僧人道安写《二教论》认为从实质上看,只有佛教、儒教,道教本来属于儒教,然而佛教又优于儒教。他认为,儒教为外教,只能救人形体;佛教为内教,可以救人精神。世上虽有儒、道、阴阳、法、名等"九教"的说法(此指《汉书·艺文志》),然而实际上"同属儒宗",因此不能把道教看作独立的宗教。他虽尖锐批评道教虚妄、诡诈等等,但也承认佛、儒、道三教在社会上发挥"劝善"效用方面有一致之处,然而同时指出:"善有精粗,优劣宜弃"。认为佛教是出世之教,讲善恶报应、三世轮回和涅槃解脱,而儒、道只是"方内之谈",不能使人超脱生死,所以比较起来,佛教精而优,儒、道二教粗而劣。(《广弘明集》卷八)

南北朝时期儒、释、道三教的争论十分激烈,使当时思想文化界呈现色彩斑斓的奇观。正是由于三教之间的互相比较和争论,更加促使它们之间彼此借鉴和吸收,从而使中国传统文化得到进一步的充实和发展。这种情况是发生在民族大融合的历史过程中,因而更具有特殊的意义。

12.中国历史上的"三武一宗"灭佛

随着佛教的广泛传播,它的社会影响和势力与日俱增,因而在政治上、经济上与以皇帝为首的封建国家、世俗地主阶级之间的矛盾也日益突出,在思想上与以儒家为代表的传统文化、道教的矛盾也经常激化。有时这些矛盾交汇在一起,便会发生剧烈的对抗,出现由朝廷下令禁毁佛教,即所谓的"灭佛"事件。北魏太武帝、北周武帝、唐代武宗和五代后周世宗的灭佛,规模较大、曾对佛教有很大打击,史称"三武一宗"灭佛。

(1)北魏太武帝(公元 424-452 年在位)出身鲜卑拓跋部,进兵中原,统一黄河流域,继道武帝、明元帝之后,重用儒者,尊崇儒家学说,并且信奉佛教,后来听信司徒崔浩的劝告,改信经寇谦之改造过的道教——天师道,奉寇谦之为"天师",建立天师道场,亲自登坛受符书,表示上受天命,改元"太平真君"。崔浩出身士族,博览儒家经史,信奉道教,经常在皇帝面前非议佛教"为世费害"。从太平真君五年(公元 444),太武帝下诏限制佛教,说佛教"假西戎虚诞,生致妖孽,非所以一齐政化,布淳德于天下",禁止王公以至百姓私养沙门。第二年(公元 445)出兵经过长安,在一寺院中发现兵器、造酒器具、财物和窟藏妇女,于是下诏大规模灭佛,诛杀沙门,焚烧寺院经像。虽然由于太子拓跋晃监国秉政,缓宣诏书,使很多沙门闻讯远逃,部分经像得到隐藏,但北魏境内大量僧尼被杀,寺院佛经毁灭殆尽。六年后(公元452)太武帝死,文成帝即位,认为佛教"助王政之禁律,益仁智之善性,排斥群邪,开演正觉",又恢复佛教。此后在历代北魏皇帝的支持下,佛教在北方得到空前传播和发展。

(2)公元557年鲜卑宇文泰之子宇文觉代西魏称帝,国号周,建都长安,史称北周。北周武帝(公元561-578年在位)在思想上崇尚儒家,重用儒者,按照《周礼》改革官制,经常召集群臣研究富国强兵之道。当时佛教急速发展,北方僧尼达200万人,佛寺30000余所。(《魏书·释老志》)僧尼享受免税赋徭役的待遇,寺院占有大量土地。武帝要统一北方,所采取的重要措施之一就是"求兵于僧众之间,取地于塔庙之下"。(《广弘明集》卷二四释昙积《谏周祖沙汰僧表》)武帝首先是削减僧尼和寺院,此后多次召集名儒、众僧、道士讨论三教优劣,规定以儒教为先,道教为次,佛教第三;建德三年(公元574)命僧人、道士辩论二教的优劣,不久便下令禁断佛教与道教。这次灭佛与北魏太武帝灭佛不同,一是对佛、道二教皆禁止;二是虽毁坏寺院,焚毁经像,但并不屠杀沙门,而是迫使他们还俗为民;三是设立"通道观",提倡"会通三教",但强调以儒家为正统。建德六年(公元577)北周灭北齐,又下令在原来北齐境内禁断佛、道二教。然而在这期间,也有很多僧人隐匿民间暗中奉佛,或逃到南方。宣政二年(公元578)武帝去世。宣帝、静帝相继在位,朝政实由外戚杨坚把持,下令允许佛教传播。到杨坚废周建立隋朝,大力恢复佛教,自此佛教进入新的发展时期。

（3）唐代佛教发展迅速，寺院占有大量土地和劳动人手，佛教界的腐败混乱现象日益严重，不仅加剧了与世俗地主阶级的矛盾，也危及到中央王朝的财政。唐武宗（841－846年在位）即位后，在宰相李德裕、道士赵归真的劝谏和支持下，连续颁发诏令对佛教采取禁毁措施，先是下令拆除佛教的山野招提（十方寺院）、兰若，规定长安、洛阳两京的左右街各留二寺，每寺留僧30人，诸州各留1寺，分为三等：上寺留僧20人，中寺10人，下寺5人。其他寺院被拆毁，僧尼还俗，铁制佛像熔铸农具，铜制佛像熔铸钱币。至会昌五年（公元845）共毁寺4600余所，毁招提、兰若（私置之寺）40000余所，还俗僧尼26万余人，没收良田数千万亩（原作"顷"字）。（《旧唐书·武帝纪》、《资治通鉴》卷二四八）这次灭佛对佛教势力以极大打击。然而，在当时藩镇割据的镇、幽、魏、潞等州和一些州县，对武宗的禁毁佛教的政令采取敷衍、拖延乃至对抗的态度，使这些地方的佛教没有遭到重大损害。武宗死后，宣宗即位，又迅速恢复佛教发展。

（4）后周是五代时北方最后一个王朝，佛教界私度僧尼现象严重，创建寺院繁多，"继有缁徒犯法"。世宗（公元954－959年在位）出于限制佛教以利于富国强兵的目的，在显德二年（公元955）下诏废除诸道州府县镇的一切没有敕额的寺院，同时规定各县城只许选择保留僧尼寺院各一所，若无尼僧，只保留一所；严格控制出家和受戒，凡出家者必须得到父母、祖父母的同意,并且要背诵或读诵定量的经文;严禁僧尼俗士舍身、烧臂、炼指、钉截手足等残害肢体,"眩惑流俗"的行为。此年废寺 30336 所,保留寺院 2694 所,编于僧籍的僧尼有 61200 人。(《旧五代史·周书·世宗纪》、《资治通鉴》二九二)

然而从佛教史的总过程来看,这四次灭佛只是佛教在中国传播发展过程中的短暂的插曲。佛教在每次经受灭佛打击之后,通过内外调整,又迅速得到恢复和发展。

13.宋代以后中国汉语系佛教概况

中国佛教在隋唐时期虽然形成许多宗派,各自具有自成系统的教义,但并没有形成严格的组织系统,不少学僧兼奉信二种宗派以上的教义。各地较大的寺院都是国家所有,寺院的住持一般由从朝廷至地方政府统辖下的僧官机构任命,各宗并没有固定的寺院,寺院学僧的结构经常发生变化。

隋唐成立的宗派在流传中盛衰不一,三论宗、法相宗仅在唐初盛行一时;律宗所传的律学为各宗僧人遵循和传承;净土宗内部虽流传不同学说,但从整体来说它是作为超越各宗的西方净土信仰受到各宗僧众信奉,有"寓宗"之称;天台宗、华严宗在唐末已开始衰微,一些典籍甚至失传;密宗兴盛于唐朝中期,唐末也趋衰微。在僧人中也有不少传承不明,只是以诵经、修行度日者,也有的僧人以所谓"神通"、"神异"受到世人的信奉。

在各宗中只有禅宗在唐末日渐兴盛,大有兼容各宗,席卷全国之势。进入宋代不久,可以说是禅宗独盛的时期。天台宗虽因从朝鲜、日本寻回失去的重要教典而出现过"中兴"气象,在儒者士大夫之间也有一些信奉者,然而在社会传播形势和影响方面毕竟不能与禅宗相比。禅宗,特别是南宗,在成立初期具有特别引人注目的特色,后来自称:"不立文字,教外别传,直指人心,见性成佛。"然而在发展过程中也不断吸收各宗的思想成分充实自己,在宋代以后,经过明清,与净土、天台、华严诸宗日渐融合。

禅宗之外的佛教宗派,在开始创立的早期,传承世系或多或少还比较清楚,但后来就逐渐不明以至中断,这是它们走向衰微的重要标志。然而禅宗的传承世系比较清楚,宋代以后大量出现的禅宗史书、语录,对禅宗内部各派的著名禅师的传承世系有明确的记述。自唐代后期以来,所谓禅宗只指南宗,谓迦叶上承佛陀,至菩提达摩为西土二十八祖,东土(中国)初祖,然后是慧可—僧璨—道信—弘忍—慧能(六祖),此后对于以谁为七祖发生分歧,或以荷泽神会,或以南岳怀让,或以青原行思……以后分为禅门临济、曹洞等五宗。宋代禅宗独盛,在朝廷的直接参与下,才将禅宗的传承世系最终确定下来,使禅宗获得直承佛祖的"佛门正宗"的地位。

禅宗法眼宗学僧道原撰《景德传灯录》三十卷,于宋真宗景德元年(公元 1004 年)奉上朝廷,真宗敕翰林学士扬亿等人刊削裁定,颁布天下。此书编录从佛至西土二十八祖、东土六祖,六祖慧能以下分南岳、青原二系——前者之下所出沩仰、临济二宗;后者之下的曹洞、云门、法眼三宗,共 52 世、1701 人的以语录为主的传记。此书序称禅宗"不立文字,直指心源","盖大雄(按,佛)付嘱之旨,正眼流通之道,教外别行,不可思议者也"。此书一出影响很大,此后相继有《天圣广德录》、《建中靖国录》、《联灯会要》、《嘉泰普灯录》四种传灯录出世。谁继承佛的正法,以及相关的传法世系问题,与各个宗派的寺院、僧人的现实地位与利益有密切关系,因而在禅宗与其他教派之间,以至禅宗内部经常发生争论。宋仁宗嘉佑六年(公元1061 年),云门宗高僧契嵩(公元 1007-1012)进京两次向皇帝上书,一是说佛道与"王道"一致,有利于国家治理和民众的教化,希望皇帝出面扶持;一是说天下禅、教之争是由于"宗不正,祖不明","束教者,不知佛之微旨,妙在乎言外;语禅者,不谅佛之所诠,概见乎教内",虽同是僧人却自相是非。他自称,为了"推一其宗祖,与天下学佛辈息诤释疑,使百世知其学有所统",乃参考大量佛教经典,编出《传法正宗记》、《传法正宗定祖图》(附有图像)、《传法正宗论》,特地上进朝廷,希望皇帝下旨准于编入大藏经流通天下,同时又将自己论述佛教可以辅助纲常名教的《辅教编》进奉皇帝。(《镡津文集》卷八、九)第二年皇帝敕准将这些书编入大藏经使与佛教经典并行,并且赐予契嵩"明教大师"之号。契嵩书中所列的从佛至西土、东土列祖、各宗禅师的传法世系皆是禅宗传承的说法,然而经过以皇帝为首的干预和批准,在那个时代对佛教界产生的普遍的巨大影响是可想而知的。

禅宗在唐末五代迅速兴隆之后,一些著名禅师从山区或偏远地方被迎入城镇的官寺担任住持,到宋代这种现象有所发展。南宋宁宗时,经右丞相史弥远(公元1164-1233)奏言建立的"五山十刹",是依照封建社会官僚等级和晋升制度建立起来的官寺制度。按照这种制度,把官寺分为五山、十刹、诸山(甲刹)三个等级,禅僧要经历从诸山至十刹的较低的等级之后,才能到五山担任住持。日本现存《扶桑五山记》的首卷载有《大宋国诸寺位次》,当是取自宋元禅僧或日本来华求法僧的传闻、资料而写的。据此,当时的五山是:在余杭的径山寺、在杭州的灵隐寺和净慈寺、在明州的天童寺和阿育王寺。十刹是:杭州天宁寺、湖州护圣寺、蒋山灵谷寺、苏州万寿寺、明州雪窦寺、温州江心寺、福州雪峰寺、婺州双林寺、苏州虎丘寺、天台山国清寺。此外,列为甲刹的有65座寺院。这里所用寺名全是简称,所有寺名的最后毫无例外都有"禅寺"二字。这些寺院过去未必全是禅宗寺院,例如天台山国清寺原来是天台宗的发祥地和传法中心,此时也成为禅寺。

在禅宗传播早期,禅僧本来居住在所谓律寺,与其他僧人并未严格分开。到马祖的弟子百丈怀海(公元749-814)时才开始另外建立禅寺,不造佛殿,只建法堂,住持住于方丈;在修行外,贯彻"一日不作,一日不食"精神,规定禅僧不分上下都要按时参加劳动("普请"),建立了一套修行作息制度,并为此制定出《禅门规式》(《百丈清规》)。进入宋元以后,对此屡有增删修订,最有影响的有宋代《禅苑清规》,此外有《日用小清规》、《咸淳清规》、元代《至大清规》等。元顺宗元统三年(公元 1335 年)敕东阳德辉对照以往清规重编,以《敕修百丈清规》名目颁行天下,命一切僧众遵照执行。此书对为皇帝、朝廷举行的祝赞仪式、各种佛教节日、祖师纪念日、参禅和修行程序等都有详细规定。从此,以禅宗清规规范所有寺僧已成定制,直到明清时代也没有多大变化。

中日两国古代佛教文化交流十分频繁。隋唐时代中国所有佛教宗派都传到日本,日本到中国学习三论宗、法相宗、华严宗、天台宗、密宗的僧人很多,大致反映了这些宗派在中国的兴盛情况。然而进入宋代以后,两国佛教交流的重点却是禅宗,在宋元时期到中国求法的日本僧人几乎都是来参访名师,学习禅法的,同时有大量中国禅僧到了日本。这也是禅宗在宋代独盛的表现。

宋代以后,中国佛教逐渐发展为以禅宗为主体的融合型的佛教。这种情况一直延续到明清以后。

14.中国汉语系佛教的主要特点

中国汉语系佛教主要有以下特点:

(1)由于中国封建社会实行以皇帝为首的强大的中央集权制度,以高度发展的儒家学说作为社会意识形态的正统思想,佛教传入后始终处于朝廷和儒家的依附地位。

(2)中国汉语系佛教虽也得到封建统治阶级的扶持和利用,但它是通过以所谓"方外"、"出世"的宗教处世方式和传教活动来"协契皇极"、"助王化于治道"的,在汉地从未形成政教合一的政权形式。

(3)在中国佛教史上,直到北宋为止,一直把翻译来自印度(有的来自古西域)的佛经作为佛教的重要事业。从东晋开始,又重视佛典的诠释和研究;隋唐以后,在中国本土成立的各个佛教宗派通过判教、释经和论著,系统论述本宗的佛教哲学、教义和修行方法。

(4)中国汉语系佛教在传播发展过程中一直积极地吸收儒、道二教的思想充实自己和丰富自己,把道家和玄学的宇宙本体论与印度大乘佛教的以真如、佛性为本体的本体论相结合,进而依据中观"不二法门",提出"真俗不二"、"体用相即"的佛教哲学。天台宗的"一念三千"、"三谛圆融",华严宗的法界缘起、圆融学说,都具有这方面的意义。佛教各派的以佛性为觉悟基因的心性论,也多少是受到儒家人性论的启发并且是吸收了它的思想而提出的。天台宗的"性具善恶",华严宗讲"一切有情皆具本觉真心",禅宗的"自性本净"等,从中都可以看到儒家的"人性善"、"性恶"、"性有善有恶"等人性论的影子。

(5)发挥大乘佛教的"真俗不二"、"烦恼即菩提"的理论,主张出世不离入世,生活日用即为佛道。在这方面,禅宗尤为突出。宋代以后,佛教世俗化有明显的发展。

(6)采用中国封建宗法制度建立师徒间的嗣法制度,特别是天台宗和禅宗,确立了比较严格的传承世系。然而在中国,各宗之间未曾形成壁垒森严的对立关系,从总体上说是彼此承认,互相融通的。前秦道安据《增一阿含经》经文建议出家人以"释"为姓以来,僧尼皆以"释"为姓,彼此形成一种比较亲近的同体感,认为各宗义理虽有高下、浅深的不同,但都符合佛的教说,彼此之间并非水火不容。

15.藏传佛教

藏传佛教,亦即藏语系佛教,俗称喇嘛教,发源于我国西藏地区,依用藏语翻译的佛经,流传于我国西藏、青海、甘肃一带藏族、蒙古族和裕固族等少数民族居住地区。

佛教于唐初开始传入西藏地区。唐朝称在青藏高原的藏族地方政权为吐蕃。吐蕃称其君长为"赞普",7世纪在赞普松赞干布(?-650年在位)当政时形成以赞普为中心的奴隶主贵族政权。8世纪中后期赞普墀松德赞(公元755-797年在位)时吐蕃强盛,对外进行掠夺性的战争,并出兵争夺唐属西域及河陇一带地区。9世纪中叶以后开始衰落,并走向瓦解。赞普松赞干布先娶尼泊尔墀尊公主,后与唐朝通好,迎娶文成公主。此后墀德祖赞(或作弃隶缩赞,公元704-755)又与唐联姻,娶金城公主入藏。吐蕃曾与唐政府保持比较密切的关系,与内地有着多方面的经济文化交流。

吐蕃原来盛行当地原始宗教——本教,而随着吐蕃与唐朝内地以及与古印度等国的文化交流的开展,大约在 7、8 世纪之际佛教开始传入。尼泊尔墀尊公主和唐文成公主入藏都带去佛经、法物;随从文成公主入藏的人中也有汉僧。这二位公主分别延请尼泊尔工匠、中国内地工匠建造了大昭寺和小昭寺。唐金城公主入藏后有意保护和扶植佛教在西藏传播。墀松德赞在位期间支持佛教发展,从汉地和印度招请高僧,兴建桑耶(鸢)寺,先后有 300 多人出家,佛教开始兴盛起来。在吐蕃对唐的战争中也劫掠僧尼回藏,例如唐建中三年(公元782 年),吐蕃为表示对唐归还俘虏的回报,"放先没蕃将士、僧尼等八百人归还"(《旧唐书》卷一九六《吐蕃传》);也有的是唐朝应吐蕃赞普的请求派往吐蕃的,例如建中二年(公元781 年)唐应吐蕃之请派"沙门之善讲者"良琇、文素随使者入藏,规定两年更换一次(《册府元龟》卷九百八十《外臣部通好》);也有很多是吐蕃在占领的汉人地区招请的。汉僧在吐蕃除从事讲经、佛事活动外,还与藏人合作把一些汉译佛经译成藏文,例如成书于 9 世纪的《丹噶目录》中有 34 种经书标明是译自汉文经典的。吐蕃早期佛教包括印、汉两个佛教系统的成分,印度系佛教主要有莲华生法系的密教和寂护法系的瑜伽中观学派,而在汉地佛教中既有重视讲释佛教经论的宗派,也有正在兴起的以"见性"为标榜的禅宗。从本世纪从敦煌遗书中发现的禅宗文献来看,禅宗在吐蕃曾一度有过相当大的影响。

然而在吐蕃赞普朗达玛(也译达磨,公元838-842在位)时着力扶持本教,严禁佛教,封闭寺院,勒令僧人还俗,致使佛教在西藏中断了百余年。

约在10世纪末叶,佛教又从青海地区传入。吐蕃王室后裔在阿里(今西藏西部)的地方政权,积极引入和扶植佛教,在当地建寺度僧,并且派人到印度求法,先后从印度请来不少高僧译经传教。在这些僧人中,著名的有密教高僧阿底峡(公元982-1054),他著有《菩提道灯论》等,对后世藏传佛教有很大影响。在11、12世纪佛教逐渐深入民间,开始形成带有藏族地区特色的藏传佛教,内分若干不同的宗派。源自印度的密教将传统上以释迦牟尼佛名义而编述的大小乘佛法称为"显教"。藏传佛教各派虽各有特点,但从总的方面来看,都吸收了本教的某些成分,在教义上把显、密二教结合起来,提倡显密兼学,显密兼修。

藏传佛教的主要派别有创立于11世纪的宁玛派(红教)、噶丹派、萨迦派、噶举派(内分香巴噶举、塔波噶举及其支派),还有创立于15世纪初叶的格鲁派。

萨迦派高僧八思巴(公元1235-1280)被元朝皇帝封为国师、帝师之后,历任的帝师几乎全出自此派僧人。萨迦派除控制藏族地区政、教大权外,还通过掌管总制院(后改称宣政院)管理全国佛教事务。直到14世纪元朝灭亡为止,此派是西藏地区占据统治地位的宗教和政治势力。

格鲁派(黄教)是由出生在今青海西宁塔尔寺地方的宗喀巴(公元 1357-1419)创立的,因其僧众戴黄帽,故俗称黄教。宗喀巴是在广泛吸收显、密二教的教理基础上建立自己的教义体系的,著有《菩提道次第广论》、《中论广释》、《辨了不了义论》、《菩萨戒品释》、《侍师五十颂释》、《密宗十四根本戒释》等。他针对以往佛教戒律松弛、风气败坏及借修密法而强取民间处女等情况,特别强调僧人必须遵守佛戒;在教义上阐明显、密二教的关系;规定僧众必须在系统通达显教经论之后,才有少数人可能取得修密教的资格;修密法必须遵循严格的程序,并且遵守戒规,一切修持唯以观想为重,不许实际接触女人;规定本派僧人必须学习《现观庄严论》、《入中论》、《量释论》、《俱舍论》和《戒经》。这五部论著被称为黄教五部论。

黄教虽创立较晚,但发展迅速。宗喀巴及其弟子的活动得到在 14 世纪中叶到 15 世纪中叶控制前后藏的帕竹(帕木竹巴)地方政权的大力支持,先后在拉萨建造了甘丹寺、哲蚌寺和色拉寺,在日喀则建了扎什伦布寺。这些就是黄教在西藏的四大寺。在黄教的发展中,原来的噶丹派寺僧转归黄教,其他教派也有不少寺僧改宗黄教。

在黄教势力日增,寺院经济不断发展的情况下,从黄教领袖、哲蚌寺寺主索南嘉措(公元 1543-1588)在世时开始形成了达赖喇嘛的活佛转世制度(后来他被称做三世达赖,追认在他以前二世的达赖),而在日喀则的扎什伦布寺的寺主罗桑却吉坚赞(公元 1567－1662)时形成了班禅的活佛转世制度(后称第四世班禅,追认他以前三世的班禅)。

16 世纪末叶,由于蒙古吐默特部俺答汗(公元 1507－1583)信奉黄教,迎请索南嘉措喇嘛经青海到吐默特部传教,自此漠南蒙古各部及漠北蒙古各部逐渐信奉了黄教。17 世纪中叶,蒙古和硕特部固始汗应黄教之请率兵入藏,在拉萨建立政权,奉达赖喇嘛为精神领袖,并任由达赖委命负责管理土地庄园及农奴等世俗事务的第巴(官名)为副职,从此黄教成为藏族地区占统治地位的教派。此时正值清初,达赖喇嘛和固始汗都受到了清朝政府的册封。此后清朝政府逐步加强了对西藏的统治,其间西藏经过了几次变乱,至清高宗乾隆十六年(公元 1751)下令并制定《西藏善后章程》,规定在第七世达赖喇嘛格桑嘉措与清朝驻藏大臣共同主持和监督下设立名为“噶厦”的西藏地方政府,由称为“噶隆”的官员四人组成,处理西藏政教事务。由此形成西藏地区的政教合一体制。(以上主要参考:王森著,中国社会科学出版社 1987 年出版《西藏佛教发展史略》;王辅仁著,青海人民出版社出版《西藏佛教史略》)

藏传佛教在 17 世纪从蒙古传入俄国,流布在西伯利亚及里海沿岸、伏尔加河流域的部分地区,信仰者多为蒙古族后裔、说突厥语的图瓦人及少数俄罗斯人。

新中国成立后,1951 年西藏和平解放,成立西藏自治区人民政府,从此西藏进入新的历史时期。藏传佛教作为藏族的传统宗教信仰受到党和政府的尊重,在宪法"宗教信仰自由"和有关法律的保障下,西藏人民按照自己的意愿和习惯过宗教生活。

16.藏传佛教的金瓶掣签制度

"瓶"在藏语中发音为"奔巴"(或"本巴"),所以"金瓶掣签"也称"金奔巴掣签",是清朝中央政府对西藏、蒙古地区行施主权,通过特定的宗教程序,由中央政府官员会同藏、蒙地区政教领袖和代表,在皇帝所赐金瓶中抽签以认定西藏达赖、班禅及蒙古章嘉和其他大活佛("呼图克图")的转世灵童("呼毕勒罕")的做法,后成为藏传佛教的一项重要宗教仪规和中央政府确认藏、蒙地区活佛合法地位的重要制度。

18世纪中叶,尼泊尔建立由廓尔喀族统治的王朝,对外进行扩张。清乾隆五十三年(公元1788)出兵侵犯我国西藏的聂拉木等地,但清派往西藏援助的军政长官令西藏地方政府与廓尔喀妥协议和,答应每年给以"地租"。乾隆五十六年(公元1791)廓尔喀以索取"地租"为名第二次侵犯西藏,攻进日喀则,占领班禅驻锡的扎什伦布寺,将前六世班禅遗留的金银钱财抢掠一空。六世班禅曾在1780年到热河承德避暑山庄朝觐乾隆皇帝,乾隆为他建造行宫,但不久因患天花死于北京。在这期间,他从乾隆皇帝和在京王公大臣、内外蒙古贵族收到巨额金银财物的赏赐和供养施舍。在他死后这些金银财宝被他兄弟、在日喀则扎什伦布寺担任"商卓特巴"(掌管大活佛仓库之僧官)仲巴活佛占有,他的另一兄弟宁玛派喇嘛沙玛尔巴为此不满,前往尼泊尔唆使并且带领廓尔喀军队入侵西藏,除抢劫扎什伦布寺外,所到之处烧杀掠夺。清政府派福康安、海尔察等人率兵入藏,击退廓尔喀侵略军,迫使其退回掠夺钱财宝物并保证今后不再入侵西藏。这一事件暴露出西藏地方政府的腐败无力和地方政治体制的不健全,为此清政府随后进行改革,除了确定驻藏大臣拥有与达赖、班禅平等的地位,增强他在西藏的军政权力,规定地方军、政、经济制度外,还正式规定了以金瓶掣签认定活佛转世灵童的做法。

乾隆皇帝五十七年(公元 1792)八月给军机大臣等的上谕中,指示在清军撤离西藏之后,福康安等人须筹议制定善后"章程","务期经久无弊",首先提出的条款就是关于"金奔巴瓶"抽签的做法。他说:

查藏内达赖喇嘛、班禅额尔德尼等呼图克图(按:活佛)示寂后,令拉穆吹忠(按:原意为护法神,此指称能使护法神附身指示转世灵童方位者,也称之为"护法")作法降神,俟神附伊体,指明呼毕勒罕(按:意为化身,此指转世灵童)所在。乃拉穆吹忠往往受嘱,任意妄指,以致达赖喇嘛、班禅额尔德尼等亲族姻娅,递相传袭,总出一家,与蒙古世职无异。……嗣后应令拉穆吹忠四人,认真作法降神,指出实在根基呼毕勒罕若干,将生年月日各书一签,贮金奔巴瓶内,令达赖喇嘛等会同驻藏大臣,对众拈定,作为呼毕勒罕。不得仍前妄指,私相传袭。(《清高宗实录》卷一四一一)

是说以往西藏在认定达赖、班禅等活佛的转世灵童过程中,地方权贵家族往往操纵"吹忠",选择自己的家族或亲戚的人为活佛继承人,活佛之位如同世袭;提出先由"吹忠"四人指出方位选择几位灵童,将他们姓名和出生年月日写在签上,放到金瓶内,由达赖喇嘛等人会同驻藏大臣,当众抽签确定转世灵童。接着,乾隆皇帝派御前侍卫将所赐金瓶送往拉萨。

福康安等人奉旨于同年十月与八世达赖、七世班禅等"公同筹议",制定在西藏以金瓶掣签确定转世灵童的具体宗教仪规,上呈朝廷。其中提到:签上的灵童姓名出生年月等须用满、汉、藏三种文字书写,御赐金瓶安置在拉萨大昭寺宗喀巴像前,举行抽签仪式前须请喇嘛念经七日,请各地大活佛喇嘛等会集在佛前,"驻藏大臣亲往监视"等。并且规定不仅达赖、班禅"示寂"后的转世灵童,而且前后藏的大活佛的转世灵童,"亦令驻藏大臣监同达赖喇嘛照例掣签,方可定准"。(《卫藏通志》卷五)福康安等人先后分事项拟定的"章程"是逐次上奏朝廷的,并在乾隆皇帝钦定后汇集一起颁给西藏地方政府实施,至乾隆五十八年(公元1593)总共有二十九条,称《钦定章程》,现有藏文本收藏在拉萨大昭寺和日喀则扎什伦布寺

内。其中第一条就是上述以金瓶掣签认定转世灵童的条款。（牙含章著，1984年出版《达赖喇嘛传》上编《八世达赖强白嘉措》）

清初达赖、班禅的承袭与转世必须得到清朝廷的册封，自此以后，达赖、班禅的转世和合法地位必须通过金瓶掣签的仪式加以确定，并且由驻藏大臣主持坐床（升座继位仪式）。

乾隆皇帝五十七年十月在北京雍和宫所立《喇嘛说》碑文中历数西藏、蒙古的黄教大活佛"皆以兄弟叔侄姻娅，递相传袭"的弊端，除提到在西藏设立金瓶掣签制度确定转世灵童外，还提到依照此例在雍和宫设置金瓶，将蒙古的大活佛（"大呼必勒罕"）的候选灵童的名字等书写签上，"理藩院堂官会同掌印之札萨克（按：蒙古地区官名）、大喇嘛等，公同掣签"，加以认定。

乾隆皇帝在《喇嘛说》中对确立金瓶掣签制度的意义予以充分肯定，其中有"去转世一族之私"，"安藏辑藩，定国家清平之基于永久"。确实，这一制度在防止西藏、蒙古地区的地方贵族操纵活佛转世以控制地方政教大权，维护祖国的统一和当地社会的安定等方面起到积极的作用。

进入现代之后，西藏第十四世达赖喇嘛丹增嘉措作为第十三世达赖喇嘛的转世灵童并"免于抽签"，"特准继任"，是由当时的中央政府（即国民政府）于1940年2月5日批准的，并派专员到拉萨主持于2月22日在布达拉宫举行的坐床典礼。第十世班禅额尔德尼·确吉坚赞也由当时的中央政府于

1949 年 6 月 3 日批准"免于掣签,特准继任为第十世班禅额尔德尼",并派特使到青海西宁主持 8 月 10 日于塔尔寺举行的坐床典礼。（牙含章《达赖喇嘛传》下编）

1989 年 1 月 28 日,第十世班禅额尔德尼圆寂,遵照历史定制和藏传佛教宗教仪规,并出于对第十世班禅的尊重,经国务院决定,成立了班禅转世灵童寻访领导小组和顾问小组,并由扎什伦布寺的主要活佛、堪布、高僧组成寻访班子,遴选出三位转世灵童候选人。经报请国务院批准,1995 年 11 月 29 日在拉萨大昭寺释迦牟尼佛前,由国务院代表、特派专员主持庄严的金瓶掣签仪式,认定出身于西藏那曲地区嘉黎县的坚赞诺布为第十世班禅转世灵童。经国务院批准,他成为十一世班禅额尔德尼·确吉杰布,同年 12 月 8 日在国务院代表和特派专员的主持下于扎什伦布寺举行了坐床典礼。

17.云南地区上座部佛教

云南上座部佛教属于中国佛教的一支。由于信徒以傣族占多数,也名"傣族佛教"。现主要分布在云南省西双版纳傣族自治州思茅地区、临沧地区;德宏傣族景颇族自治州及保山地区的傣族、布朗族、阿昌族和部分佤族,以及其他民族部分群众之中。约 6、7 世纪开始传入。最早传入的是缅甸系佛教,后因战争等影响而绝灭。8 世纪后汉地佛教也影响过这一地区。12 世纪泰国佛教开始传入西双版纳地区。不久,缅甸佛教传入德宏地区。15世纪以后开始有了极大的发展,流传至今。

傣族佛教主要有四大派别,每派之下又有若干支系。"润派"是由泰国东北地区传入,下分花园寺派和莲花寺派二支。前者亦名"摆孙派",流行在澜沧江两岸的大勐龙、景洪、勐罕地区;后者亦名"摆罢派",分布在西定布朗山区,勐遮、勐海、勐混等坝区。"摆庄派"又名"寺院派",属于缅甸佛教系派别,传入时间较早,分布在德宏州和保山地区的傣族、崩龙族、阿昌族的居住区。"摆庄派"和"润派"僧侣最多,影响最大,是云南上座部佛教的主体。"多列派"也是属于缅甸佛教的派别,下有达拱量、苏特曼、瑞竟、缅座四支,在芒市、遮放、孟定等地流传,现有寺无僧。各派在教义教制上基本相同,不同之处在于持戒的宽严和诵经声调高低快慢方面。

云南上座部佛教的信徒,男人一生至少到寺庙出家一次。一般在年轻时到寺院出家,既发心奉佛,又可以在寺里学习佛教和文化。出过家的人才能在社会上取得应有的地位,受到大家的尊敬。上座部寺院遍布各地,"村村有佛寺,家家有佛堂"。寺院分为四等,最高佛寺是州总佛寺,负责协调佛教徒的佛事活动,颁布有关宗教法规,形式上批准僧人僧职的晋升,以及为新述职的官员、较高级别的土司举行宗教仪式活动。下属各勐的总佛寺是二级寺院,负责勐内的宗教事宜。同一地区具有四个寺院或四个以上寺院的村寨组成的若干个中心布萨堂是三级寺院,负责每月法定日的佛事活动和监督比丘持戒的情况,批准及考核沙弥晋升比丘等事宜。各村寨的佛寺是最低级别的寺院,负责村民日常的礼佛诵经的活动,以及对年轻人进行佛教教育、文化培训的工作。僧侣的僧阶,各地区、各派别都不一样,润派分为八级,摆庄派、多列派为四级。上座部没有比丘尼,但有出家女。她们只能从事慈善事业,不得主持佛事活动。

云南上座部佛教有自己的三藏,系南传巴利文三藏的音写。书写的文字有傣泐文、傣纳文、傣绷文、金平傣文四种文字,写在贝叶或枸皮纸上。一些各民族的高僧、学者的著述,重要的傣文译典和注释也被收入在藏经内。重要的佛教节日有泼水节、雨安居、豪干节等,每逢节日期间,也是人民欢庆的时节,非常热闹。

新中国成立后,上座部佛教进入新的发展时期,在中国佛教协会成立后是它的成员之一,在团结信徒加强各民族团结,积极参加社会主义建设事业中发挥了重要的作用。

18.中国目前最常见并便于使用的大藏经

大藏经也称"一切经",是总汇佛教典籍的丛书,原来是用手抄写,在北宋开宝四年(公元971)开始用木板雕印,太平兴国八年(公元983)完成,称《开宝藏》。此后陆续有增补。以后历代都有由政府或民间组织雕印大藏经,著名的有宋《崇宁藏》、《毗卢藏》、《思溪藏》、《碛砂藏》、《金藏》(现有赵城广胜寺本)、元《普宁藏》、明《洪武南藏》、永乐《南藏》与《北藏》、

《嘉兴藏》、清《龙藏》。这些大藏经也先后传到朝鲜、日本,在这些国家也先后刊印不同版本的大藏经,著名的有朝鲜的《高丽藏》,日本古代的《黄檗版大藏经》、近代以后的《日本校订大藏经》(《缩刷藏》)、《续藏经》、《大正新修大藏经》(《大正藏》)等。

中国目前常见并且方便使用的大藏经有:

(1)日本编《大正藏》,编于 1924 至 1934 年,有正编(主要是中国汉译经典、著述)、续编(日本撰述)、别卷(图像、目录),共一百卷(册),收佛典 3360 部 13520 卷。现有台湾影印本,有的虽题《大藏经》,实为《大正藏》。

(2)《频伽精舍校刊大藏经》,简称《频伽藏》,40 函 414 册,1913 年上海频伽精舍以日本《缩刷藏》为底本刊印,去掉原页上的校注和部分日本撰述,编排分类因袭未变,经律论三藏均以大乘在前,小乘在后的顺序,大乘经以华严、方等、般若、法华、涅槃五部为序。现国内有影印本。

(3)《续藏经》,日本于 1905 年至 1912 年编印,原名《大日本续藏经》,也称《卍字续藏经》。所编多为以往《大藏经》未收载的印度、中国和日本撰述,共 1756 部 7144 卷。分为印度撰述和中国撰述,其中有不少著作在中国久已佚失,商务印书馆 1923 年曾出版影印本。现有台湾影印本。

(4)《中华大藏经》,简称《中华藏》,由以任继愈教授为首的中华大藏经编辑局编纂,中华书局出版,从 1982 年开始筹备至 1994 年完成,共有 106 册,收佛典 1905 种。以《金藏》赵城广胜寺本为底本,校之以《高丽藏》、《房山石经》、《资福藏》、《碛砂藏》、《普宁藏》、《永乐南藏》、《龙藏》等,底本所缺佚部分以《高丽藏》或其他藏的相应部分补。

19.中国历代寺院和僧尼

中国自东晋以后逐渐建立和完备了僧尼管理制度,对全国寺院和僧尼人数开始作出统计。但是现存资料极不完整,有的看来不太准确,其中有的似乎是估计数字。这里仅将现在掌握的历代佛教寺院和僧尼的部分数字列表介绍如下,以供参考。

朝代	纪年	公元	寺院数字	僧尼人数	出处
西晋		265-316	180	3700	《辩正论》卷三、《释迦方志》卷下
东晋		317-420	1768	24000	同上
南朝·宋		420-479	1913	36000	同上
南朝·齐		479-502	2015	32500	同上
南朝·梁		502-557	2846	82700	同上
南朝·陈		557-589	1232	32000	同上
北魏	兴光至太和元年	454-459	6478	77258	《魏书·释老志》
北魏	廷昌年间	512-515	13727		同上
北魏	正光以后	520-524	30000	2000000	同上

朝代	纪年	公元	寺院数字	僧尼人数	出处
北魏、东魏、西魏		386-557	30886（国家大寺47；王公贵族建寺839；百姓建寺30000）	2000000	《辩正论》卷三、《释迦方志》卷下
北齐	天保元年	550	40000	4000000	《佛祖统纪》卷三八
北周	建德六年	577		3000000	
北周			931		《辩正论》卷三、《释迦方志》卷下
隋		581-618	3985	236200	同上
唐		618-904	5358：僧寺3235 尼寺2122		《旧唐书·职官志》
唐	会昌五年	845	寺4600 兰若40000	260500	《旧唐书·武宗纪》
五代·后周	显德二年	955	2694 废寺30036	僧42444 尼18756	《五代会要·祠部》
宋	熙宁元年	1068		僧220660 尼34030	《佛祖统纪》卷四五
元	至元二八年	1291	42318	213148	《佛祖统纪》卷四八、《元史·世祖纪》
明		1368-1644		约500000	倪岳《青溪漫稿·奏议·止给度一》、《明会要·僧道录司·弘治中马文升奏》
清	康熙六年	1667	寺宙79622	僧110292 尼8615	《钦定大清会典事例·礼部·方伎》
清	乾隆元年-四年	1736-1739		340112（朝廷实发度牒数）	同上
清末				800000	太虚《整理僧伽制度论》

20.当代中国佛教

中华人民共和国成立,中国佛教进入了一个新的时期。1949 年 9 月 21 日中国人民政治协商会议第一届全体会议在北京召开,所通过的《共同纲领》和《约法八章》皆规定宗教信仰自由的政策。1954 年颁布和现行经过修订的中华人民共和国宪法都明文规定公民有宗教信仰的自由。

1952 年 11 月 15 日,经佛教僧俗二界著名人士倡议召开了中国佛教协会发起人会议,通过《中国佛教协会发起书》,筹备成立中国佛教协会。在党和政府的大力支持下,1953 年 5 月 30 日中国佛教协会成立大会暨中国佛教协会第一次全国代表大会在北京广济寺召开,来自汉、藏、蒙、傣、满、苗、撒里维吾尔等七个民族的活佛、喇嘛、法师和居士等 120 名代表(应出席代表 144 名)参加了会议,正式成立中国各民族佛教信徒的组织"中国佛教协会"。会议推举名誉会长、会长、副会长和秘书长,并且设立理事和常务理事会,号召全国佛教徒为"庄严国土,利乐有情"做出贡献。

然而,1957 年以后中国大陆社会政治发生了一些偏差,在"左"的思想和政策的影响下,佛教和其他宗教一样受到了一些不公正的待遇。到 1965 年"文化大革命"开展之后,佛教受到极大冲击,寺院被关闭,佛像遭破坏,不少僧侣被批斗。1966 年中国佛教协会工作陷于停顿。1972 年在周恩来总理的关心下,中国佛教协会开始恢复部分工作。1976 年 10 月,"文革"结束,佛教活动逐渐恢复,佛教协会重新开展工作,中国佛教进入一个新的发展时期。

1980 年 12 月,中国佛教协会在北京隆重举行了第四届全国代表会议。出席会议代表 254 名(应出席人数 271 人),代表了全国 29 个省市、自治区的佛教徒,包括汉、藏、蒙、傣、满、土、裕固、纳西等 8 个民族和全国显密各宗不同教派的僧俗代表,选举班禅额尔德尼·确吉坚赞为名誉会长,赵朴初居士为会长。帕巴拉·格列朗杰等 8 人为副会长,赵朴初兼秘书长,巨赞等 5 人为副秘书长。新选理事会由 218 人组成,常务理事 54 人。这次会议修改了佛教协会的部分章程,新章程规定"本会是中国各民族佛教徒的联合组织",强调佛教的民族性,进一步明确了佛教协会的性质和任务。佛教协会的主要任务有:团结和倡导广大佛教徒参加各项为人民服务的工作,"庄严国土,利乐有情";在爱国爱教的立场上,维护教徒信仰自由的权利,推动教徒学习宗教政策和其他有关政策法令,做到爱国守法,支持教徒管好宗教活动场所,开展正常的宗教活动;积极开展佛教教育和学术研究,出版佛教书刊,协助政府保护佛教文物古迹;发展与各国佛教徒的友好联系,增进中外佛教文化交流。

1993 年 10 月中国佛教协会召开第六届全国代表会议。赵朴初会长在《中国佛教协会四十年》的报告中全面总结了中国佛教协会在成立后走过的不平凡的路程,提出今后各级佛教协会应当把工作的重心转移到加强佛教自身建设(信仰、道风、教制、人才、组织五方面的建设)和提高僧俗四众的素质上来,以推进中国佛教的健康发展,引导和推动广大佛教徒为建设社会主义的物质文明和精神文明作出新的贡献。会议对《中国佛教协会章程》作了修改,规定:"中国佛教协会是全国各民族佛教徒联合的爱国团体和教务组织。"

中国佛教在经受了曲折痛苦的考验之后,终于走上了一条全新发展的道路。现在中国有佛教寺院 13000 余座,出家僧尼约 20 万人,其中藏语系佛教的喇嘛、尼姑约 12 万人,活佛 1700 余人,寺院 3000 余座;巴利语系佛教的比丘、长老近万人,寺院 1600 座。

六十五年来,经过全国僧众和广大佛教徒的坚忍不拔的努力,中国大陆佛教所取得的重要成果,大致在以下几方面表现出来。

一、**佛教界人士的政治地位明显提高。**1949 年佛教界人士应邀参加政治协商会议,以后上至中央,下至地方历次各届人民代表大会和政治协商会议都有佛教界的代表参加。中国佛教协会名誉会长班禅额尔德尼·确吉坚赞大师生前担任全国人民代表大会的副委员长,赵朴初会长也曾担任全国政治协商会议副主席。他们与其他宗教界爱国人士一道经常参与国家大事的决策。1989 年班禅大师不幸因病逝世后,党和政府给他很高的评价,称赞他是"我国伟大的爱国主义者、著名的国务活动家、中国共产党的忠诚朋友、中国藏传佛教的杰出领袖"。一些曾在"文化大革命"中受到迫害,含冤去世的佛教僧侣,如喜饶嘉措、阿旺嘉措、能海、噶喇藏、周叔迦等人,在党和政府的关心下也先后被平反昭雪,恢复了名誉。

二、佛教信徒组织的健全和系统化。中国佛教协会在北京成立以后,到1964年以前,大陆主要省、直辖市、自治区等都成立了省市一级的佛教协会。1976年"文革"结束以后,各地区原有的佛教协会重新恢复活动,并扩展到一般的市县。现在已经形成了中央、省、市、县(含自治区、自治县)的纵向体制和遍布全国各地的横向组织网络。佛协组织的体系健全,有利于开展对佛教徒的工作和使佛事活动正常化、规范化,加强佛教界自身的建设和适应谐调的能力,并有利于促进中央和地方的联系。

三、进行了僧制体制的改革。新中国成立后,佛教协会一直倡导"一日不作,一日不食"的优良传统,僧尼成为自食其力的劳动者,寺庙亦实现了经济自给。1984年4月中国佛教协会发布了第四届理事会第一次会议通过的《关于汉族佛教寺庙剃度传戒问题的决议》,明文规定了剃度师、出家人的条件,以及传戒授法的具体规定,同时还废除了自唐以后沿袭的授菩萨戒时头顶烫香疤的做法。1995年中国佛教协会教制委员会在无锡召开会议,修改和颁布了《全国汉传佛教寺院传授三坛大戒管理办法》、《关于在全国汉传佛教寺院实行僧尼度牒僧牒制度的办法》、《关于全国汉传寺院住持任职退职的若干规定》,为确保中国佛教持续、稳定、健康的发展,进一步完善了寺院和僧尼的管理制度。1989 年中国佛教协会颁布试行在 1993 年正式通过的《汉传佛教寺庙管理办法》和《汉传佛教寺庙共住规约通则》,对汉传佛教寺庙管理体制与寺庙组织、僧众修持与佛事活动、收徒传戒与僧团管理、培育僧才与学术研究、生产自养事业与布施佛事收入等作了详细的规定。

四、促进了各民族之间的团结。中国一共有 56 个民族,有 22 个民族不同程度的信仰佛教。佛教除在汉族地区拥有大量信徒外,在藏族、傣族、蒙古族、土族等少数民族居住地区,佛教几乎是全民信仰的宗教,对这些民族的社会、文化等具有重大影响。然而在很长的一个历史时期内,中国的汉语系佛教、藏语系佛教、云南巴利语系佛教三大系统的信徒没有一个全国性的联合组织。1953 年中国三大派系的佛教领袖相聚北京,共同创建中国佛教协会,开始了中国佛教史上不同派系佛教徒携手合作的新篇章。经过几十年的互相了解交流,现在各族佛教徒团结互助,关系融洽,形成中国佛教的新局面。

五、发展僧伽教育,培养佛教人才。1956 年 9 月中国佛学院在北京法源寺成立,以培养“具有较高佛学知识,能开展佛学研究和寺庙管理人才”为目标,设有专修班、本科班、研究班等各种形式,至 1966 年 10 月停办前,共毕业、结业学员 384 人。1980 年 9 月中国佛学院重新恢复,10 多年来已培养学僧 100 多名,其中包括 2 名研究生,还有十多名师生被派往日本、斯里兰卡等国深造。这些毕业生通过自己的工作协助党和政府贯彻宗教信仰自由政策,不少人在各地参加地方佛教协会的工作,管理名山大寺,有的当选为当地人大代表,有的担任了各级政协委员,还有的从事佛学研究、教学活动。他们已成为中国佛教界继往开来的中坚力量。1987年9月中国藏语系高级佛学院成立,以培养蒙藏地区的活佛以及格西等高级佛学人才为主要宗旨,办学方针是"维护祖国统一,加强民族团结,发展藏传佛教,培养懂国家法律和政策,精通佛学的爱国爱教的高级宗教人才。"中国藏语系佛学院的成立,被认为是"佛教界的一件大喜事,而且亦是中国佛教史上的一个创举"。除了上述高级佛学院外,10年来还成立了中国佛学院苏州灵岩山分院、南京栖霞山分院。此外,还有地方佛教协会主办的福建佛学院、上海佛学院、四川尼众佛学院、黑龙江佛学院、西藏、四川、甘肃和青海藏语系佛学院,以及恢复已停办48年的久负盛名的闽南佛学院。现在已初步形成了初、中、高全方位的教育体系,成为社会主义国家教育体系的一个组成部分。

　　六、寺塔修造逐步得到重视。建国后,政府修缮和翻造了一些破旧损坏的寺庙,先后对雍和宫、五台山、福州鼓山涌泉寺、厦门市南普陀寺、常熟虞山兴福寺、敦煌莫高窟、炳灵寺石窟、九华山、峨眉山等寺窟进行全面整修。1976年"文革"后,修建寺塔的活动重新开始。国家拨出大量专款用于培修和新建寺庙,房山云居寺、镇江金山寺、陕西扶风法门寺塔、福建黄檗山万福寺、西藏甘丹寺、云南耿马总佛寺小白塔等一大批寺庙得到不同程度的修复。从 1988 年开始政府计划并实施对藏传佛教圣地布达拉宫进行全面维修。在这些寺院中有几百所被列为国家重点寺院和文物保护单位。

七、佛事活动走上正轨。中国佛教协会成立后,适应时代和社会的进步,对佛教进行了一系列调整变革,并且不断进行自身建设,对佛事仪礼活动也做了整顿。继承了受到人们喜爱、情调高雅,对人身心有净化作用的传统佛事,革除了掺杂在佛事活动中的算卦、抽签、看风水等不健康的迷信活动。在汉族佛教地区,主要举行佛诞日、观音诞日、超度亡灵和正常念经、诵课、打坐、参禅等各种佛事活动;在藏传佛教地区,举行祈愿法会、传大、小召法会、朝山节、雪顿节、藏历新年等传统庆祝活动;在云南巴利语系佛教地区举行浴佛节(俗称泼水节)等活动。各派佛教徒现在每年还要举行祈祷世界和平的法会。1990 年 7 月中国佛教协会决定按照世佛联规定,把五月中旬月圆日(农历四月十五日)世界佛诞节列为中国佛教徒的"佛吉祥日",将佛陀诞生、成道、涅槃同时纪念。

八、佛教文化事业得到继承和光大。1965 年前中国佛教协会出版 144 期《现代佛学》,该刊物为提高佛教徒的政治思想觉悟,促进佛教学术研究,增进中外佛教的相互了解和友谊起过积极作用。1980 年佛教协会会刊《法音》创刊,本着爱国爱教的宗旨和在教言教的办刊方针,报道会务活动和全国佛教动态,宣传和体现宗教信仰自由政策。发行 10 年来取得丰硕成果,从季刊、双月刊发展到月刊,读者遍及海内外,有日本、美国、英国、法国、印度、斯里兰卡、匈牙利、前苏联等 20 余国。从 1956 年起,中国佛教协会还组织力量对房山石经进行了大量调查、发掘、整理工作,拓印经版 14270 块,出版《房山石经影印集》33 册(现已出版 12 册)。又应邀为斯里兰卡英文佛教百科全书撰写文稿 400 余篇,出版《中国佛教》四册。并参加撰写《中国大百科·宗教卷》,翻译藏文佛经、巴利文藏经名著等。佛教界人士还将传统佛教音乐继承整理,由佛教僧侣组成的弘化音乐团在国内外演出,受到热烈欢迎及好评。

九、加强与各国佛教界的友好来往,为世界和平做贡献。1962 年 9 月 8 日圆瑛法师、喜饶嘉措大师和赵朴初居士等组团参加了在北京举行的"亚洲及太平洋区域和平会议",这是新中国佛教徒首次与国际佛教界的来往。1956 年中国佛教代表团参加了缅甸、印度、尼泊尔等国的纪念佛陀涅槃 2500 周年活动和世界佛教徒联谊会第四届大会。60 年代中国佛教界与日本佛教界、文化界共同发起纪念鉴真大师圆寂 1800 周年活动、玄奘圆寂 1300 周年活动和召开亚洲十一个国家和地区佛教徒会议等。70 年代和日本佛教界的关系得到加强。1980 年奉迎鉴真大师像回国巡展,把中日佛教关系推向一个新高潮。80 年代以后中外佛教的交流全面恢复、正常。中国佛教代表团经常出访各国,除和日本佛教界的友好联系进一步加强外,与南亚、东南亚佛教国家的关系也有了恢复和发展,还与澳大利亚、美国等欧美国家的佛教界建立友好联系,加强与我国香港、台湾地区佛教界的交流合作。中国佛教协会致力于团结各国佛教徒维护世界和平事业,反对侵略战争。现每年举行祈祷世界和平法会,又与兄弟宗教界共同组团参加"世界宗教徒和平会议"、"亚洲宗教徒和平会议"和参与发起了"中国人民争取和平与裁军协会"组织等。

中国佛教人物与学说、宗派

1.后赵"大和尚"佛图澄的事迹

西晋灭亡之后,北方和巴蜀一带地区,从边陲一带内迁的匈奴、鲜卑、羯、氐、羌和巴等少数民族统治集团,以及西晋的残余势力,经过长期的混战,前后建立许多割据政权,史称五胡十六国。

石勒(公元274-333)是羯族人,东晋大兴二年(公元319)在襄国(今河北邢台)建立后赵国,死后其弟石虎(公元295-349)继位,迁都于邺(在今河北临漳西南)。石勒兄弟虽以残忍滥杀著称,同时重用儒者,在所占据的地区劝课农桑,恢复生产,又信奉佛教,大力支持佛图澄及其弟子在后赵传法。

佛图澄(公元231-348),来自西域,开始以占卜吉凶的"道术"受到石勒的信任,经常请他参与军政机要。佛图澄利用他受到石氏兄弟信任的机会,除在后赵传播佛教外,还经常

利用石氏兄弟向他咨问吉凶的机会进行劝谏。据《高僧传》卷九《佛图澄传》等记载,归纳他在后赵活动,大致有如下几项:

(1)在石氏兄弟建立和巩固后赵政权的过程中,他用佛教的善恶因果报应理论来为他们增强信心,例如他说石虎在前世因为供养僧众,积累功德,所以今世才在晋土当国王。在当时儒家"华夷之辨"的传统观念排斥少数民族入主中原的背景下,佛教的这种教义特别受到少数民族统治者的欢迎。佛图澄有时也用预言、占卜来暗示石氏兄弟加强戒备或对他们的某些做法予以鼓励。

(2)以佛教的慈悲戒杀的教义来谏劝石氏兄弟保护民众,以安定社会秩序,发展生产。他曾对石虎说,作为帝王虽然不能做到绝对"不杀",但应当做到"不为暴虐,不害无辜",而且应"省欲兴慈",这样才能使佛法兴隆,"福祚方远"。

(3)在后赵政权的支持下与弟子大力从事传法活动,据载在短短的几十年间,在后赵境内建立佛寺达893所。佛图澄的弟子道安、竺法雅、竺法和、竺法汰、竺法朗等人以及他们的弟子,在向大江南北传播佛法,推进佛教的民族化方面发挥了重要作用。

2.东晋道安在中国佛教史上的地位

道安(公元312-395)俗姓卫,常山(治所在今河北正定)扶柳人。自幼读儒家经书,十二岁出家,经常下地劳动,空闲时读经。后赵时到都城邺(今河北临漳西南)拜佛图澄为师,以其记忆出众和善于理解、发挥佛教义理而经常受到佛图澄的赞赏。他在佛图澄门下学习大小乘经典和戒律。

石虎死后,后赵发生内乱,中原一带也战争连年,道安离开邺城到今山西、河北一些山区避难,沿途仍抽时间进行佛学研究,注释佛经,并且与弟子传教。此后虽也一度回到邺城(公元357),但二三年后因有兵乱,他再度出走,适逢天灾,决定南下东晋管辖下的襄阳。当时道安门下的弟子已达数百人之多,在河南新野与这些弟子离别,对他们说:"今遭凶年,不依国主,则法事难立。又教化之体,宜令广布。"(《高僧传》卷五《道安传》)是说在环境恶劣的情况下,如果佛教得不到当政者的支持是难以传播的,让他们分散到各地去传法。道安带领剩下的包括慧远在内的弟子四百余人到了襄阳。道安在襄阳时期与当地及江东士大夫发生广泛的交往,并且迎合东晋朝野崇尚玄学的风气,着意宣述与玄学思想相近的《般若经》,还对大小乘佛经进行研究,撰写佛教著作。

东晋太元三年(公元378)前秦王苻坚派兵攻下襄阳,将道安与襄阳名士习凿齿同送长安,他们受到苻坚的崇敬。此后道安实际成为前秦最高的佛教领袖。他一方面被苻坚奉为军政顾问,同时又利用得到前秦政府支持的有利条件,组织来自印度和西域的僧人翻译佛经,发展佛教事业。

道安是东晋时期在南北方都有很高名望的佛教学者和僧团领袖,对中国内地僧团的确立和汉语系佛教理论体系的形成有重大影响。

（1）道安博读儒家经书，又精研大小乘佛教，适应当时社会崇尚玄学的风气，有意大力宣传般若学说。其著作很多，大约有48种。在这些著作中，他借助传统文化思想和老庄玄学语言、概念，来解释和发挥佛教义理，特别在般若学方面套用玄学"贵无"派的本体论论证方式，建立了"本无宗"的理论。

（2）过去翻译佛经是在民间分散进行，道安利用国家的支持，选择翻译人才，主持较大规模的译经，使译经带有国家事业的色彩。在他主持下译出佛经14部183卷，其中小乘经典和论书占绝大部分，当中的《阿含经》和说一切有部的论书具有重要的学术价值。

（3）道安建立的僧团达几百人之多，培养了一大批优秀弟子，如慧远、昙翼、昙徽、法遇、道立及僧略、僧睿等人。他两次分散徒众、弟子赴大江南北，成为各地佛教的骨干。其中有的人在后秦时成为著名译经家鸠摩罗什的弟子和翻译佛经的得力助手。道安根据《增一阿含经》的出身各个种姓的人一旦成为沙门皆称"释种"的经文，提出出家人不用俗姓，以"释"为姓的做法，成为后世的定制。他参考戒律为僧团制定的《僧尼规范》，对寺院讲经说法的仪规、平日的修行和生活、半月一次的说戒忏悔仪式（"布萨"）、夏安居等仪规，都作出规定，对后世汉地寺院僧尼制度的建立起到启示的作用。

（4）道安编著中国第一部系统的佛经目录《综理众经目录》，为中国佛教目录学奠定了基础。

3.庐山慧远以及《沙门不敬王者论》

慧远(公元 334-416),俗姓贾,雁门楼烦(今山西宁武附近)人。幼年时曾博读儒家经书,尤其喜读《老子》、《庄子》。在道安离开邺城到处避难,在太行恒山立寺传教之时,他前往听道安讲《般若经》,从中受到启悟,于是与弟慧持同时出家为僧。年二十四便开始讲经,为了便于使人听懂,常引用儒道"俗书"对经文作解释。他随道安到襄阳,在前秦攻陷襄阳前夕按道安吩咐东下,后至庐山,在此建东林寺居住传法。他虽身居山林,但与东晋朝野士大夫有着广泛的联系,受到他们的敬重。他与北方后秦的鸠摩罗什也有书信往来。他的著作很多,现存有 38 篇,其中关于因果报应、佛教礼制、净土信仰,特别是关于涉及佛法与王权关系的沙门应不应当礼拜帝王的论述,对后世有较大影响。

按照中国古代儒家的礼仪,帝王奉"天命"进行统治,臣民理应跪拜致礼。但佛教认为僧尼已经脱离尘俗是不应当礼敬帝王的。东晋成帝咸康六年(公元 340)中书监庾冰辅政,从"因父子之敬,建君臣之序,制法度,崇礼秩"(《弘明集》卷二《代晋成帝沙门不应尽敬诏》)的维护儒家纲常名教的角度,提出应命沙门向王者致礼,但因受到尚书令何充等人反对而没能实现。安帝时,桓玄(公元 369-404)专权,后来篡位称帝,不久失败被杀。桓玄称帝前曾提出沙门礼敬王者的问题。

他提出的主要理由是:王与道、天、地处于同等地位,是辅助天地化育生灵,治国理民的,此即"资生通运"或"通生理物",理应受到臣民的礼敬;沙门既然生活在现实国土,受到王者的恩惠,也应当礼敬王者。

慧远为此写《答桓太尉书》表示反对,在桓玄失败后,他又写出《沙门不敬王者论》(载《弘明集》卷五、卷十二)系统地对沙门不应当礼敬帝王的问题进行阐述。他的主要观点是:

(1)佛教内部包括两种人,对他们有不同的要求。这两种人:一是"处俗弘教"或称"在家奉法"者,是普通的在家信奉佛教者,或称为男女居士,或称为在家二众,人数最多;二是"出家修道"者,即沙门,包括比丘、比丘尼、沙弥、沙弥尼,人数较少,但担当传法的重任。

(2)在家的信徒,"则是顺化之民,情未变俗,迹同方内,故有天属之亲,奉主之礼";有"奉上之礼,尊亲之敬,忠孝之义"。意为在家信奉佛法者与普通民众一样,必须遵照伦理规范孝养亲人,效忠与礼敬帝王,遵守名教。从这里也可以看到"佛教之所以重资生,助王化于治道"的地方。

(3)沙门既然出家修道,就是"方外(按:意为世外)之宾,迹绝于物(按:世俗事物)",严格执照佛教的教义修行,认为养身求生是导致一切苦恼的根源,以达到超脱生死为目的。既然如此,便"不重运通之资"和"不贵厚生之益",所持的道理便与世俗社会不同。于是便剃发穿僧衣以区别于俗人,在礼仪上也与世俗社会通行的礼仪不一样。然而他们通过传教,教化民众行善积德,引导他们寻求解脱,从而使社会达到安定。这种功劳也是不小的。所以沙门"虽不处王侯之位,亦已协契皇极(按:帝王统治原则、皇权),在宥生民矣。"如果不从表面,而从实质上看问题,沙门并非对亲人违背孝道,对君主有失礼敬。

慧远提出的在家信徒必须遵守名教礼仪,忠君孝亲,便可使统治者消除对绝大多数佛教信徒的戒心;他提出的沙门虽在形式上不礼敬君王,但可以通过教化民众,和谐社会,有利于取得统治者的信任。这种协调佛教与王权、佛法与王法名教的理论,受到历代佛教的重视,成为佛教僧俗信徒处理与帝王、儒家名教关系的重要依据。

4.中国最早的佛教学派"六家七宗"

魏晋时代盛行玄学和佛教般若学说。在两晋之际,佛教界因对《般若经》中的"诸法性空"(一切事物从本质上看都是空幻无实的)的基本思想产生不同的见解,出现了"六家七宗"——七种般若学说。这是玄学与大乘佛教相结合的产物,是一些学僧为迎合玄学风行的时尚,借助玄学本体论的思辨方式和概念,来论证般若学的一切皆空思想的宗教本体论。

六家七宗的代表人物和各宗的名称是:道安的本无宗;竺法琛、竺法汰的本无异宗;支道林的即色宗;于法开的识含宗;道壹的幻化宗;支愍度、竺法蕴、道恒的心无宗;于道邃的缘会宗。以上七宗当中,本无、本无异二宗可作一家,总为六家;如按宗计算,可作七宗。其中影响较大的只有本无、即色、心无三家。

本无宗认为世界万有,本体为空,所谓"一切诸法,本体空寂",称此本体为"本无"。它所讲的"空"、"性空"或"本无"与《般若经》中讲的"法身"、"真如"等同义。这与以王弼、何晏为代表的玄学贵无派的"以无为本"的本体论主张是相应的。本无宗也受先秦道家的以道、气为本原的宇宙生成论的影响,所谓"无在元化之先,空为众形之始",但又强调"本无"的空寂方面,反对"空豁之中,能生万有"的简单说法。但本无异宗正是强调"本无"(或"第一义谛")的"能生万物"的方面。(据《名僧传抄·昙济传》、安澄《中论疏记》等所引有关资料)

即色宗认为世界万象皆由因缘条件和合而生,既然借助因缘才生,故无自性,就是空,支道林《即色游玄论》说:"色不自色","虽色而空"。(安澄《中论疏记》引《山门玄义》)原来《般若经》中讲的"色即是空",理由就是因为色(地水火风四大因素及其所造)是由因缘和合而产生的。此宗是就现象(色)直探本体(空),认为现象就是本体,这与以郭象为代表的玄学的自生独化论有相似之处。

心无宗主张让主观精神脱离外界,使心不执著于世界万物,但同时并不否认外界的存在。据称:"诸法空者,欲令心体虚妄不执,故言无耳;不空外物,即万物之境不空。"(吉藏《中观论疏》卷二引)这实际是把般若性空的理论看成是指导修心的原则:一是不去理会现实世界的一切;二是断除世俗的观念和情欲烦恼。玄学中的崇有论虽反对将有否认的说法,但又肯定其"静一守本无",抑制情欲的方面。心无宗与此有相似的地方,但作为出世的佛学理论又有其特定的思辨方式和目的。

因为当时般若中观学派的论书《中论》等尚未传入,人们对《般若经》的中观论证方法尚不熟悉,所以对本体现象(佛教所说的本无与诸法、空与色、心与物、真谛与俗谛)进行论证时,不善于运用否定(遮诠)和"不二"的方法,得出非有非无,色空相即,真俗不二的结论,因而各有所重,见解不同。后秦时鸠摩罗什译出《中论》、《十二门论》等之后,他的弟子僧肇在其《肇论》中以中观学说对以往的般若学说进行总结,对上述三家学说都提出批评,认为他们各有偏向。

般若学说六家七宗是具有中国特色的最早的佛教学派(或学说),标志着佛教民族化的进一步发展。

5.东晋高僧法显及其《佛国记》

法显(?-卒于公元 423 年之前),俗姓龚,平阳郡(在今山西临汾西南)人。在后秦弘始元年(东晋隆安三年,公元399 年)为到印度求取完备的戒律,与同学数人从长安出发西行。先后经过河西走廊,涉沙漠,穿越今天的新疆广大地区,西逾葱岭,经过今巴基斯坦、阿富汗、北印度,历游佛教圣地、当年释迦牟尼佛传教的中心地带尼泊尔、恒河中下游的广阔地区,然后从海路经今斯里兰卡、印度尼西亚的苏门答腊(或爪哇),求得大量经典,于东晋义熙八年(公元412年)从山东崂山登岸,次年到达建康(今南京),首尾计15年。

法显在异国旅游,经常怀念祖国。他到达师子国(今斯里兰卡)求法时,曾到无畏山寺院参拜,看到在玉制佛像旁边有某商人供养的一把来自汉地的白扇,不觉感动得流泪。对此,他在自己的《佛国记》中作了如下的记载:"法显去汉地积年,所与交接,悉异域人。山川草木,举目无旧。又同行分披,或留或亡,顾形而已,心常怀悲。忽于此玉像边,见商人以晋地一白扇供养,不觉凄然泪下满目。"其爱国思乡之情,跃然纸上,千百年后读之,仍令人动情。

法显回国后,在建康与印度僧佛驮跋陀罗、宝云等僧合作,先后译出戒律《摩诃僧祇律》、《僧祇比丘戒本》、大乘经典《大般泥洹经》(与《大涅槃经》为同本异译,有前后广略的不同)、说一切有部的论书《杂阿毗昙心》等。

法显于东晋义熙十年(公元414年),即法显回国后的第三年,将自己西行求法的经过和见闻,写成文字,此即《佛国记》。原来可能没有题书名,故后来有不同的名称,或称《法显传》,或称《佛国记》,也有的称《历游天竺记传》等。此书近代以来为国际学术界所重,认为是了解和研究古代中亚、南亚诸国历史文化、宗教的宝贵资料。

6.中国佛教史上的四大佛经翻译家

在佛教传入中国后,翻译来自印度和西域的佛经是佛教界的大事,早期译经是由分散在各地的民间的佛教信徒组织进行的,到东晋十六国时期发展为由国家政权组织进行,译经规模逐渐扩大。从东汉至北宋前后担当译经的人数虽然很多,但在中国佛教史上最有名的译经僧有四位。所谓"四大佛经翻译家"有两说:或指后秦的鸠摩罗什(公元344-413)、南北朝的真谛(公元499-569)、唐代的玄奘(公元600-664)、唐代的义净(公元635-713);或以唐代的不空(公元705-774)取替其中的义净。

7.后秦鸠摩罗什的译经生涯

鸠摩罗什(公元344-413),祖籍印度,生于龟兹(今新疆库车),自幼出家,曾随母长期游历中亚西域诸国,先学小乘,后学大乘,尤精般若大乘中观学说。前秦建元二十年(公元384),吕光奉苻坚之命征服龟兹诸国,获鸠摩罗什,强以龟兹王女妻之。吕光在姑臧(今甘肃武威)称王建立后凉的过程中,尊奉鸠摩罗什为军政顾问。后秦弘始三年(公元401)姚兴派兵攻灭后凉,迎请鸠摩罗什到国都长安。自此,鸠摩罗什开始在后秦王支持下翻译佛经。

鸠摩罗什共译大小乘佛经35部294卷,著名的有《摩诃般若经》、《小品般若经》、《维摩诘经》、《大智度论》、《中论》、《十二门论》、《百论》等。他翻译的佛经语言流畅,广为流传,对中国佛教宗教哲学和教义的形成发生极大影响,隋唐时代形成的佛教宗派所依据的主要经典当中,他译的佛经占有很大的比重。在鸠摩罗什的直接参与下,后秦首先创立僧尼管理机构,设置僧正、悦众、僧录等僧官,为后世僧官制度所仿效。他的弟子达500人以上,听法的弟子多至2000人以上。他们后来分布于全国各地,对南北朝时佛教的兴盛和学派的兴起有直接的影响。

8.南朝宋竺道生的佛性论与"顽石点头"的传说

南北朝时期,佛学研究蔚然成风,学僧之外,帝王和士大夫也进行研究,或编述著作,或聚众讲说。在这种形势下,兴起很多学派,涅槃、成实、地论、毗昙、三论、摄论以及楞伽、法华等学派,活跃于大江南北。从研究内容看,这些学派各侧重于一部或几部经典,如地论学派主要据《十地经论》……但实际上几乎涉猎一切大小乘经典。从学者来看,兼习两种学说以上的人很多。竺道生是涅槃学派的重要代表人物,他的佛性学说影响很大。

竺道生(公元355-434),原是竺法汰的弟子,后北上师事鸠摩罗什,东晋末年回到南方,宋初与慧严、慧观为朝所重。他精于般若中观之学,又较早地接触法显译的六卷本的《大般泥洹经》,对其中所说的佛身长在,"一切众生,皆有佛性;皆有佛性,学得成佛"的内容,尤感兴趣。但此经也明确地说,"一阐提"(或"阿阐提",善根灭绝的人)除外。

"佛性"这个概念在大乘佛教中有两方面的意义:一是作为本体的意义用的,与真如、实相、法性、法身等大体同义;二是作为觉悟的内在心性依据使用的,在这种场合也称为"心"、"真心"、"真神"、"神明"等等。当然有时两者也被混合使用。

竺道生认为,佛性是众生所秉的法性,也称之为"佛法中我",是人的自然本性,源于诸佛的法身。他根据《泥洹经》中的"一切众生,皆有佛性"的说法,大胆推论:世上最坏的人"一阐提"既然属于众生,那么他们也同样具有佛性,也有可能成佛。(《高僧传》卷七《道生传》、日本宗法师《一乘佛性慧日抄》引《名僧传》之文)本来在北凉昙无谶译的三十卷本《大涅槃经》中已经载有这种说法,但当时此经尚未传到南方。因为竺道生的说法在佛经上找不到直接根据,立即受到佛教界固守经文僧众的反对,甚至一度把他驱逐出僧团。

竺道生被迫离开建康后,东至吴的虎丘山(在今苏州),向当地民众宣传自己的主张,据载旬日间从学者达数百人之多。在宋志磐《佛祖统纪》卷三六有这样一段有趣的记载,道生到虎丘山,"聚石为徒,讲涅槃经,至阐提处,则说有佛性。且曰:如我所说,契佛心否? 群石皆为点头。"这就是所谓"顽石点头"典故的来源。在南朝宋元嘉七年(公元430)他又西至庐山的寺院,受到当地僧人的欢迎。稍后,昙无谶译的《大涅槃经》传到南方,人们看到其中确实有一阐提也有佛性的说法。竺道生一度回到建康,后来又返回庐山,受到远近僧众的敬佩,他的佛性学说得到更多人的承认。此外,竺道生提出的"顿悟"主张也很有影响。

竺道生佛性论对推动佛学界和哲学界从探究本体论转向研究心性论,起了很大作用,促进了中国学术思想的发展。

9.崇信佛教的梁武帝

历史的有关记载是可信的。南朝梁武帝萧衍(公元 502-549 年在位),自幼博读儒家经书,废齐建立梁朝后,一方面重用士族,同时在思想文化方面提倡儒学和佛教。

梁武帝原来曾信奉道教,即位后下诏舍弃道教信仰,改奉佛教,并且劝群臣也信奉佛教,谓:"公卿百官、侯王宗族,宜反伪就真,舍邪入正"。(《弘明集》卷四载《叙梁武帝舍事道法》)他在位期间,大力提倡和支持佛教。

(1)优待僧人,奖励佛学研究,与当时著名的学僧有着密切的交往,在他鼓励和支持下,涅槃、成实、般若三论等学派很快发展起来。他下令让众多学僧编纂佛教典籍,其中著名的有《大涅槃经集解》等。

(2)广建寺院,盛造佛像。规模巨大的大爱敬寺、智度寺、同泰寺等都是在他主持下修建的。他经常在这些寺院举办盛大的法会,给予寺院以巨额的施舍。

（3）自己虽以"皇帝菩萨"自居,但又四次舍身同泰寺"为奴"。当然,他舍身寺院并非真的要当和尚或为寺院作奴仆,而只是作出的一种姿态,借以唤起广大佛教信徒对他的虔敬感情。他每次舍身都由朝廷群臣拿出巨额的钱财将他"赎"回。

（4）他在位期间过着在家居士的生活,并且花费大量时间从事佛教研究和著述,特别对《般若经》、《维摩诘经》研究最多,有时亲自上台向僧俗信众讲经。所著《立神明成佛义记》,将佛性解释为"神明"（意为灵魂）,认为通过断除情欲的修行使它达到清净,便可达到解脱。

（5）根据大乘经典,下令僧尼不仅不可吃酒,而且严禁食一切动物的肉,否则将以国法、僧法惩罚。此前,佛教戒律规定僧尼可以在一定条件下吃肉。如《十诵律》卷三七记载,如没有被自己看见宰杀的动物之肉,没有听说是为自己所宰杀的动物之肉,没有怀疑屠者具有慈心能够下手杀死动物的肉,是可以吃的,称为"三种净肉"。梁武帝的禁令影响很大,此后历代僧尼只吃素食便成为定制。

10.何谓"判教"？南北朝时"南三北七"的判教学说

"判教"就是站在特定的立场从整体上对佛法进行分类和评估,指明不同种类佛法的浅深、高下以及它们的理论和表述方式的特色等,强调自己信奉和坚持的教义理论的合理性、优越性。

佛教在发展过程中前后形成很多经论,在教理内容上越来越庞杂,其中包含不少分歧和矛盾的地方。为调和和解释这些不同的说法,在印度已经出现类似判教的做法,如提出大乘与小乘、满字教(比喻大乘)与半字教(比喻小乘)、显露教与秘密教(密教)、难行道与易行道(例如净土念佛法门)等,就是用来对佛法进行分类的。

中国在传入佛教的初期并没有注意到大小乘的差别,直到进入东晋之后随着《法华经》、《般若经》、《中论》和《维摩诘经》等译出和深入流行,才有更多的学僧注意到这点。南北朝时形成了中国早期的判教学说,其中有较大影响的在南方有三家,北方有七家,统称"南三北七"。

这十家判教学说一般都把全部佛法分为三教:顿教,谓佛直接为菩萨宣说高深圆满佛法,特指《华严经》;渐教,先小乘后大乘,佛法先浅后深,指大部分大小乘经论;不定教,非顿非渐,宣说"佛性常住",有《胜鬘经》、《金光明经》等。十家的分歧主要表现在对渐教的不同看法上。

南方最有影响的判教学说是宋朝慧观等人提出的"五时教",即把渐教分为:有相教(小乘的经、律、论三藏)、无相教(《般若经》等讲一切皆空的教理)、褒贬抑扬教(《维摩诘经》、《思益经》等,褒扬大乘,贬抑小乘)、同归教(《法华经》主张会三归一,即声闻、缘觉和菩萨三乘同归佛乘)、常住教(《大涅槃经》讲佛身常住,众生皆有佛性)。

北方有影响的判教学说是北齐慧光的"四宗"：因缘宗（小乘论书《毗昙》,论释因缘）、假名宗（《成实论》讲一切空而不实,皆为假名）、诳相宗（《般若经》、三论,主张诸相空寂如幻）、常宗（《大涅槃经》、《华严经》等,讲佛身常住,佛性本有）。

南北判教学说的共同点都把小乘经典置于最低地位,而把大乘佛典置于较高地位,在大乘经典中特别重视《法华经》、《华严经》、《般若经》、《大涅槃经》等经,反映了中国佛教徒在经过长期的研究比较之后将大乘佛教选择为中国佛教的主体。

南北朝时的判教学说对隋唐佛教宗派有直接的影响。

11.唐玄奘的真实事迹

唐代确实有位高僧玄奘到印度（"西天"）去求法取经,回国后翻译出大量佛经,在中国佛教史上占有重要地位。神话小说《西游记》虽取材于玄奘取经的故事,然而书中描述的那位玄奘已经被神化,求法取经情节几乎全是按照小说体裁的需要想象编造出来的,至于玄奘的三位弟子孙悟空、猪八戒、沙和尚自然也皆属虚构。《西游记》是中国优秀的古典神话小说,然而绝不是玄奘到印度求法取经事迹的真实写照。

玄奘（公元600-664）,自幼出家,广读大小乘佛教经论,为求得重要的唯识经典《十七地论》的原本和解释自己学习佛法中遇到的疑难问题,决心到印度求法。

唐太宗贞观元年(公元 627 年)关中发生灾荒,朝廷允许民众可以到外地逃荒。玄奘借此机会西至姑臧、敦煌,然后出玉门关,经天山南侧的北道,从跋禄迦(今新疆阿克苏)转到天山北路,经西突厥王庭所在的素叶城(今吉尔吉斯斯坦国的托克马克城),纵贯今中亚南部和今阿富汗北部,东向经今巴基斯坦北部,至今克什米尔,然后经印度北部至释迦牟尼佛的诞生地今尼泊尔南部,约在唐贞观五年(公元 631 年)进入中印度,入最高佛教学府那烂陀寺,在此学习五年。此后曾外出巡游印度半岛的东部和西部,然后又回到那烂陀寺,在此讲学和撰述。当时印度恒河流域最强大的国家是羯若鞠阇国,都曲女城,国王名戒日。在佛教中最流行的是大乘唯识学派,其次是般若中观学派,此外小乘说一切有部、正量部等也有相当影响。

玄奘在向印度进发的途中和旅行印度的过程中,随处向各地高僧学习,并且注意考察佛教古迹。他在那烂陀寺师事戒贤法师,跟他学《瑜伽师地论》(《十七地论》)等唯识学派的经典,并且广学因明(逻辑和认识论)、声明(语言文字、音韵、方法)、医学等。玄奘虽倾心唯识学说,但对中观学说也不排斥,曾写《会宗论》,会通调和它们的思想。他对小乘学者批评大乘不能容忍,写《制恶见论》进行批驳。他还在一次与一位顺世外道学者的辩论中获胜,由此名声为远近所知。在临回国前 4 年(公元 641 年),戒日王在曲女城召请全印度的十八位国王和众多官员、沙门、婆罗门、外道等,举行盛大的辩论大会,请玄奘为论主,宣讲《制恶见论》,破斥小乘,宣扬大乘。据载在十八天内没人敢提出质难。大乘信徒称颂玄奘是"大乘天",小乘信徒称颂他是"解脱天"。此后,玄奘又应请参加戒日王举办的为期75天的"无遮"(人人可以参加)施舍大会。

贞观十九年(公元645年)玄奘在亲身经过110国,历尽千辛万苦之后回到长安,受到奉太宗之命迎候的左仆射房玄龄等官员和广大民众的热烈欢迎。玄奘带回大乘经224部、大乘论192部,还有大量小乘经论,共657部,用20匹马驮回。此外还有佛像、舍利等。玄奘先后受到太宗、高宗的优遇,在他们的支持下先后在弘福寺、大慈恩寺、玉华宫等处从事译经,共译出(包括新译和重译)佛经75部1335卷。有如下几类:

(1)般若中观类经典,有6部615卷,占全部译出经典的46%。其中最重要而且篇幅最长的是《大般若经》六百卷,内有108卷是重译,此外有《能断金刚般若经》(《金刚经》异译)、《广百论本》等。

(2)瑜伽唯识类经典,有21部201卷,占15%。此为玄奘及其弟子弘传的重点,是法相宗的主要依据。重要的有《解深密经》、《瑜伽师地论》、《显扬圣教论》、《成唯识论》等。《成唯识论》是编译,虽采集印度唯识学派十大论师护法等人对世亲《唯识三十论》的解释,而实际是以护法的释文为主。此为法相宗的最重要的论书,古来注释书很多,而以玄奘弟子窥基的

《成唯识论述记》最有名。

（3）小乘经论，以说一切有部的论书最多，有 14 部 445 卷，占全部译经的 33%，其他仅占 6%。最重要的有《阿毗达磨发智论》、《大毗婆沙论》、《俱舍论》等。

唐太宗为他译经写了《大唐三藏圣教序》。玄奘还应太宗的建议口述，由弟子玄机笔录的记述他旅游西域印度的山川道路和各地历史、社会生活风貌的《大唐西域记》。玄奘译经水平较高，从此进入佛经翻译的新时期，称以前的译经为"旧译"，此后为"新译"。弟子很多，著名的有窥基等人。

12.唐代义净到印度求法

义净（公元 635-713），俗姓张，原籍范阳（治所在今河北涿县），在高祖时徙居齐州（治所在今济南），故史书多称他为齐州人。义净在六七岁时入泰山金舆谷的神通寺跟善遇法师和慧智禅师出家，学习佛法。此后随师到距齐州城西不远的土窟寺居住学习佛法和儒、道经史等，从而具备广博的知识。年二十受具足戒，此后集中学习佛教戒律。后来外出历访名师，学习大小乘经论。因羡慕东晋法显、唐朝玄奘西行求法的事迹，决心到印度求法。

在唐高宗咸亨二年（公元 671 年），义净从番禺（今广州）乘船从海路至东印度，踏上旅游印度，巡访佛教圣地，寻师求经，学习佛法的路程。他在玄奘曾经居留学习过的那烂陀寺学习达 10 年之久,后离开此寺,乘船到南海诸国游历,继续求法,在室利佛逝国(今印尼苏门答腊岛巨港或占碑)停住前后 7 年从事译经和写书。武周长寿三年(公元 694 年)乘船回归广州,证圣元年(公元 695 年)到达洛阳。义净在印度和南海巡游求法前后达 25 年,历经 30 余国,带回梵文佛教经、律、论典籍近 400 部,并带回佛像、舍利等。

义净旅游印度时,印度和南海诸国盛行大乘唯识和般若中观学说,同时盛行小乘说一切有部、正量部、大众部、上座部等。这在他带回和翻译的经典中有所反映。义净翻译佛经受到武则天和唐中宗、睿宗二帝的支持,先后在洛阳福先寺、长安西明寺、大荐福寺的翻经院翻译佛经,共译经(包括新译与重译)68 部 289 卷,其中除般若中观、唯识经典外,多是小乘说一切有部的戒律书。

(1)般若中观类经典,有《能断金刚般若经》(《金刚经》异译)、无著《能断金刚般若经诵》、世亲《能断金刚般若经论释》等。

(2)瑜伽唯识类经典,有护法《成唯识宝生论》、《观所缘缘论释》等。

(3)其他大乘经典以《金光明最胜王经》最有名,此为以往《金光明经》的再译,品数最多,达 31 品。

(4)戒律方面,共译出根本说一切有部的戒律书 18 部 209 卷。重要的有《根本说一切有部毗奈耶》五十卷、《根本说一切有部苾刍尼毗奈耶》二十卷等。

义净还写有《南海寄归内法传》和《大唐西域求法高僧传》。

《南海寄归内法传》四卷。义净在归国途中,曾在室利佛逝国(在今印度尼西亚苏门答腊巨港,或云在占碑)居住前后近七年,从事翻译佛经和抄写从当地搜求到的佛典。此书是他在此期间根据说一切有部戒律和自己在印度南海诸国的考察,对当地僧人日常生活、受戒安居、学法修行等等的做法和仪规,做了分类介绍,对了解和研究 7、8 世纪印度、南亚和东南亚诸国的历史文化和宗教具有重要参考价值。卷一、卷四有义净的自述,是研究义净生平的重要资料。

《大唐西域求法高僧传》二卷,也是义净于室利佛逝撰写,记述唐代从贞观十五年(公元 641 年)至天授二年(公元 691 年)近 50 年间西行求法的 56 位僧人的事迹。在求法者中,有新罗、高丽、睹货罗、康国等国的僧人。义净所记述的求法僧,有的是他亲交,有的是间接传闻,其中对印度、中亚及东南亚各地的佛教、历史文化有不少介绍。在中外交通方面,介绍了从唐初以后形成的经西藏再到尼泊尔,最后到印度的路线;也记载了经过南海至印度的航海路线。此书是继玄奘《大唐西域记》之后又一部中外交通和文化史的名著。

13.隋唐时期的佛教宗派

隋唐是中国封建社会的盛世,政治、经济和文化都空前发展,居于亚洲乃至世界强国的地位。在思想文化的多元结构中,儒家纲常名教虽占据牢固的统治地位,但佛、道二教已经拥有与儒家鼎足而立的社会势力。这一时期,先后形成一些带有鲜明民族特色的佛教宗派,标志着佛教民族化过程的基本完成,民族佛教的基本格局已经初步奠定。

隋唐成立的佛教宗派有:天台宗、三论宗、法相宗、律宗、净土宗、华严宗、禅宗、密宗。在这些宗派中,除密宗外,创始人都是中国人,都奉一部或几部汉译佛经或论书为基本经典,除用中国传统的注释经典的方法(章疏)来阐释教义理论外,还利用专论、语录、偈颂等多种文体阐述各宗主张。在各宗教义体系中,吸收了中国传统儒、道文化中的思想因素,对各宗的宗教哲学、修行解脱论作了系统的论述,其中对宇宙本体论和人自身的心性论做出独具特色的论证。隋唐佛教宗派的教义理论,对中国哲学和其他文化形态的影响是极为深远的。

8世纪后,佛教开始在西藏地区传播,此后逐渐发展为藏传佛教,也先后形成一些派别。在云南等地区有南传巴利语系佛教的流传。

14. 智顗与天台宗

天台宗是由南朝陈和隋朝之间的智顗(公元539-598)创立的,然而在名义上却奉印度的龙树为初祖,以生活在北魏、北齐之际的慧文及其弟子慧思为二祖、三祖,智顗为四祖。

智顗上承慧文、慧思的思想,精研大乘经典《法华经》、《般若经》、《中论》、《大涅槃经》等,著有《摩诃止观》、《法华玄义》和《法华文句》(此为"天台三大部")及《四教义》等,建立了系统的教义体系,无论在内容和形式上都超出了印度佛教经论的框架。

智顗创立的天台宗以止观学说为中心,包括判教论、中道实相论、心性论及修行解脱论。

(1)五时八教的判教论

智顗虽对南北朝时的"南三北七"的判教学说(详前)一一提出批评,但他的"五时八教"的判教论实际是在继承这些学说的基础上创立的。

智顗认为不同的经典是佛在不同的时期宣说的。据《法华玄义》卷十,所谓"五时"是佛在五个时期所讲说五类经典:一是华严时,谓佛成道后先向菩萨讲高深的《华严经》,小乘人虽在场也听不懂;二是鹿苑时,佛在鹿野苑向小乘人讲《阿含经》;三是方等时,佛开始讲《维摩经》等大乘佛法("方等"指大乘经),引导小乘人向往大乘;四是般若时,讲各类《般若经》;五是法华涅槃时,佛在最后讲一切众生皆可成佛的《法华经》,入灭(去世)前讲众生皆有佛性的《大涅槃经》。

如果按经典的内容和形式来说,可分为"化法四教"和"化仪四教",统称"八教"。

化法四教被比喻为"药味",是从经典的内容来说的,包括：三藏教（小乘三藏）、通教（大乘初期之教，指《般若经》等）、别教（专向大乘菩萨讲述的《华严经》）、圆教（以《法华经》为最圆满之教）。

化仪四教被比喻为"药方"，是从经典所载说法式讲的，包括：顿教（不历阶次，顿悟成佛之教，如《华严经》等经中所说的顿悟教义部分）、渐教（通过修行达到觉悟是有浅深的渐进层次的，指大多数大小乘经典）、秘密教（虽然同在听法，但应每人的素质所听到的不一样，彼此不知）、不定教（同听异闻，彼此相知，但理解不同）。据灌顶《四教义》，顿、渐二教涵盖面广，其他各教无不在其内，然而最终归结到"非顿非渐"的"佛乘"，即"法华涅槃"的教法之中。

五时八教的说法并不是佛教史实的概括，只是智顗用来为天台宗的成立提供理论根据的。既然在一切经典中唯有《法华经》是最高最圆满的经典，那么以《法华经》为主要依据的天台宗自然是最优越的宗派。

（2）中道实相论——空、假、中三谛圆融

这是天台宗的宗教真理观，是修行者追求达到的最高认识。

"实相"或"诸法实相"指事物的真实面貌或本质，与大乘佛经中常见的"真如"、"实际"、"法性"、"性空"等大体同义。智顗特别指出它与"佛性"、"如来藏"、"中实理心"、"非有非无中道"等也同义。智顗在著作中强调的"实相"，是不偏颇空与有两边,会通空与有的"中道实相"。

印度龙树《中论》中有一偈曰:

> 因缘所生法,我说即是空;
>
> 亦名为假名,亦名中道义。

相传当年慧文读到此偈,恍然大悟,立即晓悟一切事物无非是因缘所生,并且进而想到:既然是因缘所生,那么,"有不定有"(空);"空不定空"(假有);"空有不二,名为中道"。(《佛祖统纪》卷六)此空、假(谓世界万物皆不真实,只是些假名,属于假有)、中道(非空非假,亦空亦假,任何事物皆同时具有前两个对立的方面),被称为三谛(谛,审实不虚)。

智𫖮的"中道实相"即承此而来,然而又有所发展。他强调一切为心所造,说"只是无明(按:愚痴、烦恼)一念因缘所生法,即空,即假,即中,不思议三谛,一心三观。"三谛相即不二,彼此圆融。任何事物,既是空、假,又是中道实相。他又说"三谛具足,只在一心"。(《摩诃止观》卷六)因此可以说:"中观观心,心即实相。"(《法华玄义》卷二上)真理实相,不离自心。既然心造万法(万物),那么可以说"心、佛、众生,三无差别"。(原语出自《华严经》)心即佛法,心即众生,由此推演开来,万事万物都是实相,所谓"一色一香,无非中道"。(《摩诃止观》卷四上)

从这一理论的社会意义来说,人们的生产活动、日常生活,都与中道实相相通。人们在各个阶层,从事任何活动,都可以通过觉悟体现在眼前的实相而达到觉悟解脱。

（3）观心——所谓"一念三千"、"一心三观"

智顗在总结传统禅法的基础上提出了三种止观和四种三昧（三昧，即禅定的"定"、也可称为禅定）。他特别重视的是其中的"圆顿止观"（在禅定中观想理与事相即不二、一色一香无非中道）、"非行非坐三昧"（不拘形式，寓禅定于日常生活之中）。修行止观，尤重"观心"，即观察平常情况下的"意识"——"一念无明心"，也就是观察刹那间的思维活动。据称，人的一念之心即具有整个宇宙，称之为"三千诸法"，说：

> 夫一心具十法界，一法界又具十法界，百法界。一法界具三十种世间，百法界即具三千种世间。此三千在一念心。若无心而已，介尔有心，即具三千。
>
> （《摩诃止观》卷五上）

十法界是指佛教所说的广义的众生：地狱、饿鬼、畜生、阿修罗、人、天（以上是六凡）；声闻、缘觉、菩萨、佛（此为四圣）。谓此十法界是一念心所具，故法界又互具，十法界成百法界。另，每一法界又各有五阴（色受想行识）世间、众生世间、国土世间，是分别就法界构成的要素、法界主体和所居住的环境讲的。每一法界又各具"十如是"，即《法华经·方便品》中的"如是相、如是性、如是体、如是力、如是作、如是因、如是缘、如是果、如是报、如是本末究竟等"，是就观察事物不同侧面讲的。这样，十法界互具成百法界，各具三种世间、十如，成三千种法界或世间。这三千世间是个假设的说法,象征"无量法"。只要稍一动念,即具三千(想象中的宇宙)。这虽源于一种特定的禅的意境,然而在不少场合被赋予宇宙存在论的意义。

以一念所生的"三千"作为观想的对境,观察事物的空、假、中三谛,此为"一心三观"。通过体认三谛之间互相圆融的道理,达到灭惑(世俗认识和烦恼)证智,觉悟解脱。

天台宗还主张"性具善恶",说佛与众生都有善与恶的两种本性,因为恶人也有善性,所以在有的条件下可以改恶从善;佛虽有恶性,但因为通达恶性,能够不被恶性驱使,可以到三界六道中利用恶的法门(如刑杀)化度众生。(智𫖮《观音玄义》等)这种理论是为天台宗争取世俗社会不同阶层的信奉和支持提供依据的。

15.吉藏与三论宗

三论宗是由生活在隋至唐初的吉藏(公元549—623)创立的。"三论"是指印度大乘中观学派的学者龙树著的《中论》、《十二门论》及其弟子提婆著的《百论》。吉藏撰有《中观论疏》、《十二门论疏》、《百论疏》、《三论玄义》、《大乘玄论》及《二谛义》等。以上三论和吉藏的著作就是中国三论宗主要依据的著作。

三论宗的基本教理是"八不"中道论和真俗二谛论。

（1）"八不"中道论

《中论》的开头第一首偈就是：

> 不生亦不灭，不常亦不断，不一亦不异，不来亦
> 不出。

用此"八不"来批驳外道的认为世界万物是从"自在天"生，或认为世界存在"无因有果"、"有因无果"、"无因无果"等现象的观点。

三论宗将批驳论敌的观点称之为"破"、"破斥"。上述"八不"是建立在大乘佛教般若学说的"因缘性空"的基础上的。既然世界一切有生灭的现象必须借助因缘才生，故皆没有真实自性，本质为空，如此生则不生，灭则非灭。关键是"无性"（没有实有的自性、规定性）和不生，在此前提下，也所谓灭，又哪里还谈得上常与断、一与异、来与出呢！进而，按照大乘中观学说，"不生"属空，"不灭"属"有"，因为一切没有真实自性，故空非真空，有非真有，空有不二，此即为不偏离任何一方的"中道"。三论宗正是依据"八不"来论证其"八不中道"的。

吉藏《大乘玄论》卷二说："八不者，盖是诸佛之中心，众圣之行处也。"《中观论疏》卷二也说："八不者，盖是正观之旨归，方等（按：大乘经典）之心骨，定佛法之偏正，示得失之根源。"这是把八不中道置于佛法的很高地位，说它是大乘佛法的中心和总原则，是衡量佛法正与邪的标准，佛与菩萨遵照它

从事教化,是修行者觉悟成佛的依据。这样便把"八不"与佛教奉为终极真理的佛性、实相等同,甚至说:"中道佛性,不生不灭,不常不断,即是八不","八不即是中道佛性。"

(2)真俗二谛论

"二谛"是俗谛与真谛(也称第一义谛)。《中论·观四谛品》说:

> 诸佛依二谛,为众生说法,一以世俗谛,二第一义谛。若人不能知,分别于二谛,则于深佛法,不知真实义。

"谛"意为实、审实不虚,也可解释为真理。二谛可解释为二类真理。吉藏《二谛义》卷上解释说:"世俗谛者,一切诸法性空,而世间颠倒谓有,于世间是实,名为世谛;诸贤圣(按:佛、菩萨)真知颠倒性空,于圣人是实,名第一义谛。"世界本来是客观存在的,然而按照般若中观的一切皆空的理论,世界一切事物和现象是空幻不实的,称这种认识是真谛,而把一般人认为世界真实存在的见解称之为颠倒不可信的"俗谛"。

应当指出,即使在大乘佛教内部,对真、俗二谛的看法也有各种不同的看法。吉藏依据《中论》来论述二谛,对其他关于二谛的看法提出批评。他从三个层次论述二谛。

首先,他把二谛置于"佛法根本"的重要地位,说"二谛是佛法根本,如来(按:佛的称号之一)自行化他,皆由二谛"(《三论玄义》),指出《中论》一书就是"用二谛为宗"的,如果要领悟二谛就应当依据此书。

其次,他在《大乘玄论》卷一相对于其他学派的二谛说,从四个层面提出自己的二谛说,以显示自己的二谛说超越于前者。此即为"四重二谛"。大意为:

相对于小乘说一切有部的论书《毗昙》的事、理二谛,提出自己的空、有二谛;

相对于小乘《成实论》的空、有二谛,提出以"空有二谛"为俗谛,以"非空非有"为真谛;

相对于"大乘论师"(此当为研习《摄大乘论》的学者)的以唯识学说中的"三自性"(详后法相宗部分)的依他、分别二性为俗谛,以依他性的"无生"、分别性的"无相"相即不二的"真实性"为真谛,提出自己的二谛,所谓:"若二若不二,皆是我家俗谛;非二非不二,方是真谛。"是以前者的二谛皆归之为自己的俗谛,而将以否定方式表述前者的二谛作为自己的真谛。

同时,"大乘论师"还以"三性"(三自性)作为"俗谛",而以唯识学说的"三无性"(详后法相宗部分)非施设("非安立谛")为真谛。对此,吉藏进而提出:无论是三自性,还是"非二非不二"的"三无性",皆属于自己的俗谛,只有"言忘虑绝,方是真谛"。何谓"言忘虑绝"?实际即为与"毕竟空"、"实相"相契合的"无所得"的认识境界,是根据《般若经》提出来的。这种"真谛"就是吉藏在《三论玄义》上讲的"正理":"内外相冥,大小俱寂。"

第三,他认为对于二谛,既不能执著俗谛,也不能执著真谛,而应当领悟真、俗二谛相即"不二"的中道,此即为"二谛中道"。吉藏《大乘玄论》卷四说:

> 真(按:真谛)故无有,虽无而有,即是不动真际(按:真如、实相)而建立诸法;俗(按:俗谛)故无无,虽有而无,即是不坏假名(按:现象之有、假有)而说实相。以不坏假名而说实相,虽曰假名,宛然实相;不动真际建立诸法,虽曰真际,宛然诸法。以真际宛然诸法,故不滞于无;诸法宛然实相,即不累于有。不累于有,故不常;不滞于无,故非断,即中道也。

这不外乎是说,真谛与俗谛是互不妨碍,相即不二的。从所包含的宗教社会意义来说,世间与出世间、在家与出家、世俗文化与佛教教理、生死烦恼与涅槃解脱……是彼此会通,相即圆融的,所谓"俗不定俗,俗名真俗;真不定真,真名俗真"(《二谛义》卷下)。由此可以让人得出人间即佛国净土,众生即是佛,"贪俗即是道"的结论。这也是在努力缩小世间与出世间、现实与彼岸的距离,为使人加强对觉悟解脱的信心,以利于佛教在社会上广泛传播。

16.法相宗的创立者及其教义主张

法相宗是由唐代著名的旅行家、佛经翻译家玄奘及其弟子窥基(公元632-682)依据并发挥印度大乘瑜伽唯识学说创立的,所依经典主要有所谓"六经十一论"。实际上,其中二经并没有传入中国,所以只有四经十论,而最重要的有《解深密经》、《瑜伽师地论》、《摄大乘论》以及《成唯识论》。《成唯识论》在十论之外,是解释《唯识三十颂》的,是玄奘以印度唯识学者护法的观点为主,杂糅印度十位唯识学者的观点集编并翻译的。窥基的《成唯识论述记》、《成唯识论掌中枢要》等也是法相宗依据的重要著作。

窥基参照《解深密经》中的内容,提出"三时"判教说:第一时,释迦牟尼佛说《阿含经》,只讲"我空",小乘人仍迷于"法有";第二时,佛讲《般若经》等,讲我、法二空,于是有人便奉二空为"无上理",对空执著;第三时,佛为破除前述执有、执空的"迷谬",便说一切皆唯识所变,此为"中道"之教。为什么说此为中道之教呢?据称:

心外法无,破初有执;非无内识,遣执皆空。离有无边,正处中道。(《成唯识论述记》卷一)

意为心识之外,没有真实的事物,以此破除对"有"的执著;然而并非没有内在的心识,以此清除对一切皆空的执著。离开对有、空两种片面见解的执著,就达到中道的认识。这种中道就是"唯识"——"心外法无","非无内识"。这里所说的中道与般若中观学派的中道是大相径庭的。

由此判教不难看出,法相宗是以"第三时教"自许,是以"唯识为宗"的。这里仅介绍其阿赖耶识和种子说、三自性和三无性说。

(1)阿赖耶识和种子说

法相宗是印度唯识学派在中国的移植,以细密的精神分析著称。它在佛教传统的六识之外增加二识——末那识、阿赖耶识,成八识,称此八识具有变现"外境"(包括主体的"我"、万事万物的"法")的功能,所以称之为"能变识"。又进而将此八识分为三类:一是"异熟识",指第八阿赖耶识;二是"思量识",指第七末那识;三是"了别境识",指眼耳鼻舌身意六识。

何谓阿赖耶识? 它被描绘为人的精神主宰,《成唯识论》卷二说:"有情(按:主要指人)执为自我"。佛教认为人的灵魂不灭,死后灵魂承载着生前的善恶业因在六道轮回。在法相宗那里,阿赖耶识也指承担业报轮回的灵魂。

法相宗用"三相"来解释阿赖耶识的特性:一是"自相",称之为阿赖耶识。"阿赖耶"意为藏,藏东西的场所,例如仓库,此为藏精神性种子的地方。就"藏"来说,具有"能藏"、"所藏"和"执藏"三个含义。"能藏"与"所藏"是指它摄藏一切善、恶、无记(非善非恶)的精神种子(能、所不二);"执藏"是指第七末那识常把它执为"自我"。二是"果相",名为"异熟(果报)识",说它藏有的善恶"业种"(行为造成的报应之因)能够招致善恶业报,轮回生死。三是"因相",称"一切种",说阿赖耶识摄藏的一切种子是万事万物生成的原因。阿赖耶识所摄藏的精神种子能够变为"器",即"器世间",指三界有情众生居住的环境;"有根身",即众生的器官及整个身体。其他七识不仅是阿赖耶识的产物,而且皆以阿赖耶识作为"根本依",才能活动。可见,阿赖耶识在法相唯识学说中具有精神主体、灵魂和世界本原等多种含义。

第七识是"末那识",也译作"染污识"、"阿陀那识",虽然意译也作"意识",然而为了与第六识"意识"相区别特地音译为"末那识"。唯识学说认为,末那识是依阿赖耶识而生起,并且依托阿赖耶识而"恒审思量",它将阿赖耶识当做"自我","从无始来与四烦恼恒俱生灭,谓我见、我爱及我慢、我痴"。(《成唯识论》卷五)所谓"我见、我爱及我慢、我痴"指的是因为执持有"我"(生命主体)而产生的思想(种种与自我相关联的见解)、贪爱、傲慢与无知(不明"我空"之理)。可见,"末那识"不仅具有现代人所说的自我意识或主体意识的含义,而且还含有能够分别主体与客体、是与非、好与恶等的抽象思维能力的意思。唯识学派主张一切是唯识所变,认为存在"我见"便可导致产生种种邪业,所以称具有自我意识的末那识为"染污识"。第六意识要依托第七、八二识,前五识要依托第六、七、八识才能运转,进行认识活动。

因为法相宗以"实无外境,唯有内识"(《成唯识论》卷一)为理论原则,所以它讲的诸识的认识活动实际只是以自己的心识为外境,从根本上否认外部真实世界。它说八识的每一个识都有自己的"见分"和"相分"。前者相当于心识的可以

"缘境"（接触境）、"了别"（感受、分辨）的部分,后者是心识变现出来与"见分"对应的可缘（被接触）的境。又认为,心识的"见分"的了别活动需由作为"识体"的"自证分"来加以确证,还有所谓"证自证分"对"自证分"进行证明。实际上,这"四分"不过是心识各种功能的不同说法。

法相宗讲的阿赖耶识中摄藏的种子是所谓"亲生自果功能差别",实际上是想象中的世界万有的精神性本原。说种子有两类:

一类为"本有",所谓"无始来异熟识中,法尔（按:自然、本来）有生蕴、界、处功能差别"。"蕴"是五蕴,包括色受想行识;"界"是十八界,包括能够产生认识活动的六种功能（眼耳鼻舌身意六根）、作为感觉认识对象的六境（色声香味触法）以及由此形成的六种感觉或认识（眼耳鼻舌身意六识）;处是十二处,即前面十八界中的六根和六境。蕴、处、界三者,可概括为世界和众生。这段话是说"本有"种子是久远以来阿赖耶识中藏有的能够产生世界与众生的各类精神功能。

一类是"始有"种子,说是由前七识的"现行"运转而产生的种子,也称此为"熏习而有"的种子,还说种子可以再生种子。（以上见《成唯识论》卷二）根据法相宗的修行理论,人们的修行过程就是不断熏习阿赖耶识所藏种子中的"无漏（按:清净的没被烦恼染污）善种",增加善的种子,而彻底断除"有漏恶种",最后达到解脱。

（2）三自性和三无性

"三自性"和"三无性"是法相宗用来对世界所作的总体说明。

"三自性"是指依他起性、遍计所执性和圆成识性。什么是依他起性呢？是指因缘及一切从因缘而生起的现象。然而法相宗认为一切皆唯识所变，所以所谓因缘无非是八识和精神种子。认为一切皆是"心、心所（按：心理作用、活动）及所变现，众缘生故，如幻事等，非有似有"。意为世界万有现象包括精神现象在内不过是心识在一定条件的变现，如同梦幻一样，虽无而好像是有，是"假有"。这是对现实客观世界真实性的否定。所谓遍计所执性是指将上述"假有"现象看作是真实的认识，实际是指世俗认识。唯识学说有时称此种认识为"妄"、"妄执"。圆成实性是要求修行者应当追求达到的最高精神境界。《成唯识论》卷八说：

> 此即于彼依他起上，常远离前遍计所执，二空所显，真如为性。

是说，应当对前述"依他起"心识显现的认识中，清除属于"遍计所执"的迷妄，体悟"二空"的道理，如此则可形成与真如相契合的认识，此种认识就是圆成识性。然而应当指出的是，真如、法性等概念虽然为大乘佛教各派共用，但具体含义并不完全相同。法相宗唯识学说的"圆成识性"虽也被称为真如，然而实际不过是"唯识"教理的另一种说法，有时也被称之为"唯识实性"。简言之,如果能够领悟世界万物皆是唯识所变现的道理,便达到了"圆成实性"的精神境界。

"三无性"是对上述"三自性"的进一步说明,是为了证明大乘佛教普遍承认的"一切法皆无自性"的道理。

"三无性"是:依"遍计所执性",立"相无性",换言之,即名相概念、世俗认识本不可靠,如同"空花";依"依他起性",立"生无性",即一切缘生现象虚幻无实;依"圆成识性",立"胜义无性"。既然名相、世俗认识不真实,就不应执著;生由缘起,"此如幻事",就不必看作真有;"圆成识性"虽也被称为"无性",然而此为"假说无性,非性全无",因为它超越于世俗的遍计、依他二性,所以称之为"胜义"。所谓"胜义"即"胜义谛",与"真谛"同义。法相宗以遍计、依他二性为俗谛,以圆成实性为真谛。

法相宗在唐初曾在佛教界兴盛过一时,但毕竟因为名相繁杂,教理过于艰涩,不便于为社会普通民众理解,到唐中期便衰微下去。

17.律宗的创立及派别

佛教典籍包括经、律、论三藏。经、论二藏涉及全部佛法,律藏则集中记载各种戒律。南北朝时大小乘戒律已基本传译齐备。其中小乘戒律有大众部的《摩诃僧祇律》,盛行于关中一带(函谷关以西以长安为中心的地区);说一切有部的《十诵律》,盛行于江南;化地部《五分律》,不很流行;法藏部的《四分律》,盛行于黄河下游和淮河流域。大乘戒律中最盛行的是传为鸠摩罗什翻译的《梵网经》。

从北魏慧光开始,研究《四分律》的学者渐多。隋朝洪遵(公元 530-608)将此律推广到关中地区。唐朝《四分律》已经流行全国。智首(公元 567-635)撰《五部区分钞》,提倡《四分律》。其弟子道宣(公元 596-667)撰《四分律删繁补阙行事钞》、《戒本疏》、《羯磨疏》等,创立了南山律宗(因为道宣常住终南山,故名)。南山律宗的律学体系在发展中成为中国佛教中占正统地位的律学。在道宣稍前,研究和提倡《四分律》的还有法砺(公元 569-635)创立的相部宗、怀素(公元 624-697)的东塔宗,在佛教界也曾有一定影响,但在唐末便衰微下去。

这三个律宗派系皆围绕《四分律》对戒律进行系统的论释,对于戒、出家、授戒仪式、僧团组织和生活仪规等等作出深入细致的论述,是来自印度的佛教戒律在中国最后完成民族化的表现。

18.唐代道宣的南山律宗

道宣在自己的著作中强调中国佛教应当实行《四分律》,说它与大乘佛教是相适应的。他不仅对《四分律》中的戒条、仪规等详加注释,而且建立了以《四分律》为中心的律学体系。

（1）化教与行教

道宣以"化教"和"行教"（或称"制教"）来进行判教，把通过经、论二藏表述的大小乘教义统称为"化教"——教化之教，而把制约规范僧尼行为（侧重身、语二业）的教法，即戒律，称为"行教"。

（2）止持戒与作持戒

道宣主张止恶与行善并重，提出"止持"与"作持"的戒法理论。"止持"是遵守自己所受的戒条不犯，做到"止恶"。但仅此还不够，进而应当主动地积极地通过自己的身体、语言和心意三个方面去行善，此为"作持"。简言之，"诸恶莫作"是"止持"；"诸善奉行"是"作持"。每一部戒律的前一部分所载的是关于比丘、比丘尼应当遵守的戒条，此属止持戒；后一部分所载的是关于僧众修行和日常生活应当遵循的仪规、规范，此为作持戒。

（3）以心识为"戒体"的戒体论

道宣将戒分为四科：戒法，指各种戒律；戒体，详后；戒行，指遵守戒规的行为、语言；戒相，是持戒的具体表现，也指各种戒条的具体内容，如五戒、十戒、具足戒等。

道宣对戒体的解释最具特色。道宣《羯磨疏》卷三对戒体规定说："纳圣法（按：戒法）于心胸，即法是所纳之戒体。"用现代人易于理解的话说，是指受戒人在受戒仪式上对戒师所授的戒条心领神会，通过发誓终生守戒，在心中所形成的持戒意念和决心。

对于这样一种戒体,在道宣之前有两种最有影响的解释:一、按照说一切有部的论书《杂阿毗昙心论》、《俱舍论》等的说法,以"色法"为戒体。据称这种"色法"虽也符合色的定义,但它在身内没有外现,是没有形体可见的,称之为"无表色";二、按照法藏部《成实论》的观点,以"非色非心"为戒体。中国在东晋以后,江南盛行《成实论》,佛教学者多依据此论将戒体解释为"非色非心",而北方则据说一切有部的论书把戒体解释为"无表色"(或作"无作色")。

道宣依据唐初盛行的法相宗的唯识理论来解释戒体。他以八识中的阿赖耶识所藏有"善种子"为戒体。《羯磨疏》卷三说:

> ……作法受(按:受戒),还熏妄心于本识藏(按:阿赖耶识)成善种子,此戒体也。

是说受戒这一行为,通过诸识"熏习"阿赖耶识,便在此识之中形成善法种子。这种善的种子便是戒体。此后,"依体起用,防边缘非",可使受戒者常记住和持守戒规,防范过错,又可反过来影响阿赖耶识,使妄情消失,以利于达到解脱。道宣首次用大乘理论来解释戒体,又把大乘佛教的重视心性修养的思想引入律学,在佛教史上具有重要历史意义。

道宣的南山律宗后来成为中国佛教律学的正统,并且传到朝鲜、日本,成为这些国家佛教界长期依用的律学。

19.鉴真东渡日本

日本在 8 世纪佛教已经广泛流行,在京城奈良和全国各地建造很多佛寺,僧尼数目也日渐增多。但是因为缺乏系统的戒律理论和合格律师,僧尼出家受戒不能严格按照戒律进行。日本朝廷为了加强对僧尼的管理和通过集中授戒控制僧尼数字,采取积极措施从中国输入律学著作并且派僧荣睿、普照二人到中国召请律僧赴日传法。在鉴真赴日之前,已有洛阳大福先寺的道璇应邀到达日本,开始向日本传授唐代南山律宗创始人道宣的《行事抄》等律学著作。然而把中国律宗正式传到日本,被日本律宗奉为祖师的是鉴真。

鉴真(公元 688－763),在日本被尊称为"唐大和尚"("尚"或作"上"字),死后谥"过海大师",俗姓淳于,广陵江阳(今江苏扬州)人。先后从道岸、弘景受菩萨戒和具足戒。道岸和弘景都曾师事道宣的弟子文纲,是当时著名的律宗学者。鉴真受戒后,历访长安、洛阳两京名僧,广习佛典、律书,后来回到扬州,在大明寺教授戒律,成为远近闻名的律师。唐天宝元年(公元 742 年)日僧荣睿、普照特地到扬州大明寺邀请鉴真赴日传授戒律。当听说日本兴隆佛法,急需律师时,鉴真立即表示愿意前往,对为此正在犹豫的弟子说:"是为法事也,何惜身命!诸人不去,我即去也。"(《东征传》)于是有 20 多位弟子表示愿意跟随他前往日本传法。

　　鉴真一行东渡日本并非一帆风顺,从天宝二年(公元743年)至天宝十二载(公元753年)的10年时间中,前后6次东渡,5次失败,其间双目失明,直至日本孝谦天皇天平胜宝五年十二月二十六日(已进入公元754年初)才到达日本。鉴真受到日本朝廷和僧俗民众的热烈欢迎,被授予"传灯大法师"位,天皇下诏:"自今以后,传授戒律,一任和上。"(《东征传》)鉴真此后为圣武太上天皇、皇后、太子授菩萨戒,多次为众多僧人授具足戒。此后,在奈良东大寺建戒坛院,为全国中心戒坛。又在附近建唐禅院,作为讲授戒律之所。天皇又为鉴真及其弟子建唐招提寺。鉴真晚年把在东大寺戒坛和唐禅院的众多事务交给弟子,自己集中精力在唐招提寺向来自各地的日本僧人传授律学,培养人才。

　　鉴真与其弟子除传授律学之外,还讲授天台宗教理,校勘佛典。此外,还把中国的寺院建筑技术、雕塑、美术等介绍到日本。鉴真还精于药物学,又善医术,在接触日本僧俗信徒的过程中,也把中国的医药学介绍到日本。鉴真的弟子法进、思托、如宝等人也为日本佛教文化的发展作出贡献。

20.净土宗

　　中国净土宗从严格意义上说只是一种净土信仰。为什么呢?"净土"意为清净的国土或世界,是指佛的国土。大乘佛教说佛无数,佛国净土也无数,然而最有影响的是《无量寿经》、《阿弥陀经》和《观无量寿经》(此为净土三部经)等经典所说的阿弥陀佛及其西方净土的信仰。阿弥陀佛的西方净土,也翻译成"安乐"净土、极乐世界。阿弥陀佛净土信仰在很多大乘经典中都有记述。在佛教传入中国后不久,阿弥陀佛净土信仰便在民间流行。东晋时,庐山慧远信仰西方净土,据传曾结集僧俗信徒在庐山建立白莲社,修净土念佛法门。此后很多僧人修行念佛法门,不少天台宗、三论宗、法相宗的名僧对净土经典作过注释。因此,即使将净土宗称为"寓宗"(寓于诸宗)也是可以的。

然而有一些僧人特别提倡阿弥陀佛西方净土法门,著名的有北魏的昙鸾(公元476-542),著有《往生论注》、《略论安乐净土义》等,对净土教理作了系统的论述,对后世净土信仰有很大影响。此后唐代道绰(公元562-645)、善导(公元618-681)直接继承昙鸾的净土思想,对西方净土信仰作了系统的理论论证,被看作是中国净土宗的创始人。道绰著有《安乐集》,善导著有《观无量寿经疏》、《观念阿弥陀佛相海三昧功德法门》(简称《观念法门》)、《净土法事赞》、《往生礼赞偈》等。现对他们的净土思想作扼要介绍。

(1)圣道门和净土门,难行道和易行道

这是净土宗的判教学说。道绰《安乐集》认为,佛教已进入即将灭亡的"末法"时代,世界上充满"邪见"和罪恶,众生寿命缩短,素质下降,对于深奥的教义接受不了,靠修习禅定、智慧(教理)和读经等修行做法,已经不能达到解脱。宣称在"末法"时代,只有依据《无量寿经》等净土经典,修持净土念佛法门才能达到解脱。称传统的修持禅定、智慧等教法为"圣道门",而圣道法门的诸法既难修,又难证,所以又据《十住毗婆沙论·易行品》等称此为"难行道"。而将净土念佛法门称为"净土门",说如果修持念佛法门,发愿往生净土(极乐世界),达到解脱比较容易,所以称此为"易行道"。

按照《无量寿经》等经的说法,阿弥陀佛在成佛之前曾发过四十八个大愿,其中说如果在他成佛之后有人称念他的"名号"("阿弥陀佛"或在其前加上意为归依礼拜的"南无"二字,即"南无阿弥陀佛"),或是观想他的形象和西方极乐世界的景象,或一心向往极乐世界……就可以消除各种罪恶,在此人死后,阿弥陀佛和观世音、大势至二菩萨就会接引此人生往极乐世界,永离生死烦恼。因此所谓"净土法门"主要是念佛(口念佛号的同时又有思念)、坐禅观想阿弥陀佛和西方净土。

道绰和善导都特别提倡口称念佛,即反复称念"南无阿弥陀佛"六字。道绰、善导身体力行,大力宣传念佛的功德,劝人信仰并修持净土念佛法门。据传,道绰"才有余暇,口诵佛名,日以七万为限",教信徒念佛时用麻豆、木槵子计数。(《续高僧传》卷二十《道绰传》)善导在长安教信徒念佛,"每入室,互跪念佛,非力竭不休"。(《佛祖统纪》卷二十六)

（2）强调恶人皆可修持念佛法门往生极乐世界

《观无量寿经》把众生分为九种，称之为"九品"，即先分上、中、下三品，再将每品分为三等，他们的善恶和修习佛法的情况不一样。经文说除去其中犯五逆罪（杀害父母、阿罗汉等五种罪恶）和"诽谤正法"（不相信并说佛法的坏话）者之外都可以通过修持念佛法门而在死后往生净土。

善导提出，九品众生都是"凡夫"或"罪恶凡夫"，只要修习净土念佛法门，皆可凭借阿弥陀佛的"愿力"（本愿所具有的神奇力量）而达到消罪往生。他在《净土法事赞》中说：众生不论罪福多少，"一心专念弥陀名号，定得往生"，"以佛愿力，五逆之与十恶（按：佛教所说十善的反面），罪灭得生；谤法阐提（按：佛教所说善根灭绝的极恶众生），回心皆往"。从逻辑上说，既然所谓"恶人"皆可往生，那么其他普通的民众更能往生。可见，他将传教的重点置于社会上那些从事各种职业的广大民众。

善导特别强调信徒的主观信仰（对阿弥陀佛及其净土的"至诚心"、"深信之心"）和口称念佛，在《观无量寿经疏》中有系统的论证。他将净土法门称为"正行"，其他修行法门为"杂行"；又把"正行"分为专心念诵弥陀名号的"正定之业"和读经、礼佛供养等的"助业"，提倡一心念佛名号。他提倡的念佛是要求"心口相应"、"心口称念"和"念念注心，声声相续"。

因为净土宗的口称念佛的做法简单易行，所以在社会各个阶层都有很多人信仰，对幻想尽快摆脱社会苦难的中下层民众尤其具有吸引力。唐末禅宗兴起,进入宋代特别盛行,但在禅宗的传播发展过程中不仅与华严、天台等宗逐渐融合,也吸收净土念佛法门,形成了所谓"念佛禅"。

21.华严宗

华严宗以其依据的主要经典《华严经》立名,由唐代法藏(公元643-712)创立。在法藏之前,杜顺、智俨都撰有注释和发挥《华严经》经文、思想的著述,为法藏直接继承。杜顺的《华严法界观门》、《五教止观》;智俨的《华严经搜玄记》、《华严孔目章》、《华严一乘十玄门》、《华严五十要问答》等,受到华严宗的重视。法藏的《华严五教章》、《华严经探玄记》、《华严经旨归》、《修华严奥旨妄尽还源观》等,是华严宗的主要依据。华严宗虽为法藏创立,但奉杜顺为初祖,智俨为二祖,法藏为三祖。此后,华严宗四祖澄观(公元738-839)和五祖宗密(公元780-841)为阐释和宣传华严宗教义写了大量著作,并将禅宗的心性理论也引入华严宗。

(1)五教和十宗的判教论

据法藏《华严经探玄记》卷一,他将全部佛法分为五教、十宗,认为以《华严经》为主要依据的华严宗最优越,称之为"圆教"和"圆明具德宗",置于各种教说之上。

五教是:小乘、大乘始教(般若中观和唯识之教)、大乘终教(《法华》、《涅槃》等经,也包含天台宗教义)、大乘顿教(《维摩》、《思益》诸经,后来澄观将禅宗也列入此教)、圆教(《华严经》和华严宗)。他批评大乘始教主张声闻、缘觉(二者为小乘)和"无性阐提"(断绝佛性的恶人)不能成佛,是"未尽大乘法理"。又说大乘始、终二教都属于渐教(修行要按程序阶次渐进),而顿教"不依位次",主张顿悟。至于圆教,即华严宗,超越于前四教,所主张的是法界(解释详后)缘起圆融无尽的教理,所谓"一位一切位"(任何一个修行阶位与其他阶位相即不二),"唯是无尽法界,性海(按:佛果、佛的境界、法身、真如、如来藏自性清净心等)圆融,缘起无碍,相即相入(按:彼此不二,互相包容),如因陀罗网(按:'因陀罗'即帝释天,因陀罗网,是指装饰帝释天宫的宝珠网,光彩互相辉映,比喻事事物物之间圆融无碍),重重无际,微细相容,主伴无尽(按:主体与客体既彼此相对存在,又互相融通无碍)。"

十宗是侧重就教理来分的,包括:法我俱有宗、法有我无宗、法无去来宗、现通假实宗、俗妄真实宗、诸法但名宗(以上皆为小乘派别)、一切皆空宗、真德不空宗、相思俱绝宗、圆明具德宗。此四宗相当于五教中的大乘始教、终教、顿教、圆教。

这种判教理论在当时社会的宗教意义之一,是有意贬低唐初盛行的天台宗和法相宗,把它们分别置于终教和始教的地位,而把华严宗置于最高的圆教地位,为华严宗的创立和传播制造舆论。

（2）法界缘起和四法界

华严宗的教理是以"法界缘起"为中心,如澄观《华严法界玄镜》卷一所说:"总以缘起法界不思议为宗。"

什么是法界呢?据法藏《华严经探玄记》卷十八,法界尽管有种种含义,但概括起来不过两大类:一是"理",是作为最高精神性本体讲的,有法身、一心、如来藏自性清净心、真空、真如、自性清净圆明体等,实际它们的含义基本相同;二是"事",包括世界万事万物,既有物质现象又有精神现象。此外,理事关系、事事关系也可以称为法界。

何谓缘起?"缘起",即借助因缘聚散而发生诸种现象,所谓"此生则彼生,此灭则彼灭"。华严宗以真如(或称法性、一心、真心等)为世界万物的本体和本原,所以它所说的"法界缘起",主要是指以真如为本体和本原的缘起。澄观《华严经行愿品疏》卷一将法界比做《老子》中的道,并明确地说法界即是"一心",说"总该万有,即是一心"。其弟子宗密在《注华严法界观门》引这段话时说:"统唯一真法界,谓总该万有,即是一心。"都是说他们所说的缘起是以真如(或"一心")为本体和本原的。

法藏对缘起得以成立的条件作了种种说明,其中谈到"缘起十义",说在一个大的缘起环境中,诸缘要"诸缘各异"、"互遍相资"、"俱存无碍"、"异门相入"、"异体相即"、"体用双融"、"同体相入"、"同体相即"、"俱融无碍"、"同异圆备"等,才使缘起成为可能。(《华严经探玄记》卷一)他借用相对主义的思辨方法,得出一即一切,一切即一,一即十,十即一,以及在时间上"或一念(按:短暂时刻)则无量劫(按:无量的长时),无量劫即一念";在空间上,"如一尘处,一切尽虚空界,一一尘处,皆亦如是"(《华严经旨归》)。还说:

> 小时正大,芥子纳于须弥;大时正小,海水纳于
> 毛孔。

在这里,完全取消了事物和概念的质的规定性,取消各种事物和概念之间的差别。

澄观继承杜顺《华严法界观门》的思想,在《华严法界玄镜》中提出"四法界"的理论,是要求华严宗修行者在禅观中依次从浅至深观想的内容。四法界是:

事法界:"事"包含的范围甚广,一切众生、五蕴、十二因缘、大小乘教法……从一草一木到恒河沙数(不胜数的数字)的大千世界,都可以看作是事。

理法界:"理"亦即真如,或称之为实相、法性、一心、真空等,认为一一事中,皆有理在,"理无形相,全在相中"。

理事无碍法界:认为真如之理随缘而成事,万事性空即现真理;在理即是事,事即是理,事外无理,或相反理外无事的场合,是互夺,是理事相害;在理即事,事即理的场合,是理事相即;在理非事,事非理的场合,是理事相非。形成理与事圆融无碍的关键是"理无形相,全在相中","无尽事法,同一法性",既然事是依据理而成,事是理的体现,理是事的本体,自

然理事无碍。

事事无碍法界：按照事的性质来说本来是事事互相有隔碍的，因为它们有大小等殊之别，然而华严宗认为一切事相皆是统一之理的体现，而理是空寂无相的，全部融解在事相之中，因而一事所含之理与其他一切事相之理完全相同，既然事与理是相即不二的，那么事与事之间也具有彼此融通无碍的关系。

按照四法界的理论，无限的世界上没有任何矛盾和斗争，到处充满和谐的气氛，一切都是圆融无碍的。

（3）十玄门和六相圆融

这是进一步论证"事事无碍法界"的。

"十玄门"最早是由智俨提出的，法藏改动不大。包括：

①同时俱足相应门。一切教义（一切大小乘佛法）、理事、解行、因果、人法、境位等等，共同组成一个大的缘起境界，诸法之间没有始终前后的差别，同时相应显现。

②一多相容不同门。任何事、理都含有其他各项的因果、理事等等，重重无尽。

③诸法相即自在门。一即一切，一切即一，相互俱足一切法门。从修行来说，"一念即得具足一切教义、理事、因果等如上一切法门"，并与无量一切众生"同时作佛"；一切修行境位，直到成佛，"同时遍成，无有前后"；一念与百千劫无碍。

④因陀罗网境界门。如同帝释天宫的因陀罗珠网的颗颗

宝珠交相辉映那样,以上诸项也互相映现,互相隐显,重重无尽。在缘起法界,一一微尘之中都容有无数佛国、佛、菩萨和世界、众生。此表现法界(法性)的真实功能(实德),缘起法界是自然无穷的。

⑤微细相容安立门。以上各项内容在"一念"之中同时或非同时全部俱足,"一切法门,于一念中,炳然同时,齐头显现,无不明了。"

⑥秘密隐显俱成门。以上诸义或隐覆,或显了,同时成就,没有前后。自己的修行,即为其他人修行;其他人的修行,也就是自己的修行,如《华严经》所说"于此方入正受,他方三昧起";"男子身中入正受,女子身中三昧起"。此隐彼显,正受(坐禅)与起定(结束禅观)可以同时"秘密"而成。

⑦诸藏纯杂具德门。"此上诸义(按,即诸藏),或纯或杂",例如"人法"这一项,若单就"人"这一门来说,一切皆人,此则为纯;但在人这一门同时含有理事等一切法门,此则为杂。如此纯杂自在,无不俱足。

⑧十世隔法异成门。所谓"三世"是指过去、现在、未来,说它们各有三世,则为九世,此九世又同时相即相入,成一总体,与九世别体合为"十世"。以上诸义遍布在十世之中,同时显现,长时短时相即相入,互不相碍。如《华严经》所说,在一"微尘"之中可以同时普现三世一切佛刹、一切众生、一切佛事等等。

⑨唯心回转善成门。以上各义,都是"如来藏自性清净

心"的"自在作用",是由它变现出来的。这就是"性起"。

⑩托事显法生解门。以上诸义,通过列举事法,显示深妙的法门道理,包括三乘教理在内,"具足一切理事、教义及上诸法门,无不摄尽。"(《华严五教章》)

"六相圆融"包括:总相(以房舍为喻,相当于整体、一般)、别相(以椽瓦为喻,相当部分、个别)、同相(一致性)、异相(特殊性)、成相(统一性)、坏相(独立性)。法藏在《华严五教章》的最后以此"六相"进一步地论证法界缘起圆融无碍的道理。意为在法界缘起中,作为总体、一般的事物(真如、理)与作为部分、个体的事物(万法、事)是互为显现,互相作用,是相即相入,圆融无碍的。此即所谓"一乘圆教法界缘起,无尽圆融,自在相即,无碍熔融,乃至因陀罗无穷理事等"。

华严宗论述真如法界变现世界万物,理事无碍、事事无碍,实际是讲佛国净土即在世间,众生与佛本无根本差别,只要断除烦恼,可以"疾得成佛"。虽修行有渐有顿,有浅有深,但顿与渐、浅与深之间是圆融无碍的;证悟有先后,但先后相即。所谓"一断一切断(断惑),得九世十世惑灭;行德(按:修行功德)即一成一切成;理性即一显一切显,并普别具足,始终皆齐。初发心(按:大乘入教之初发誓定当达到觉悟)便成正觉。"(《华严五教章》)这种理论对于争取统治阶级的支持和吸引更多民众入教都是有利的。

22.禅宗奉菩提达摩为初祖

中国禅宗虽然不是菩提达摩创立的,然而奉他为初祖,以慧可为二祖,僧璨为三祖,真正创立禅宗的是所奉的四祖道信、五祖弘忍,此后是六祖慧能。

中国禅宗历史大体经历了酝酿期、初创期、南北宗并立期和南宗独盛期。从菩提达摩,到惠可、僧璨,可作为酝酿期;唐朝的道信、弘忍正式创立禅宗;六祖慧能从五祖弘忍受法南归弘传"顿教"禅法,神秀与其弟子普寂在北方弘传"渐教"禅法,形成南北二宗对峙的局面;经神会北上与北宗争禅门正统,唐末(9 世纪后)借助朝廷的裁定,南宗取得正统地位,逐渐形成南宗独盛的局面。

无论是南宗还是北宗,都标榜自己的禅法来自菩提达摩;南宗还把达摩禅法称为"最上乘禅"、"如来清净禅"、"祖师禅"等。他们这样说是有道理的。事实是,他们的禅法确实源自达摩禅法,是在达摩禅法的基础上发展起来的。

菩提达摩,在宋代以后的禅宗史书中多作"菩提达磨",据《续高僧传》卷十六《菩提达摩传》,南印度人,出身婆罗门种姓,南朝宋代(公元 420-479)到达中国,后到北魏嵩洛一带传法,曾栖止少林寺。达摩在中国北方生活了 50 多年,自然学会了汉语。他对于当时佛教界盛行讲经说法而不重视打坐修行的风尚表示不满。他特别重视禅观修行,在栖止少林寺时,经常"面壁而坐,终日默然",被人称为"壁观婆罗门"(《景德传灯录》卷三本传)。他还向弟子传授"二入四行"的禅法。他身边的重要弟子有惠可、道育、僧副等出家僧众,还有如昙林等在家居士。据载,他特别提倡南朝宋代求那跋陀罗译的《楞伽经》四卷,曾以此经授惠可,对他说:"我观汉地,惟有此经,仁者依行,自得度世。"(《续高僧传·僧可传》)教导弟子参照此经的思想认真坐禅修行,重视内心觉悟,而不要受当时佛教界风气的影响一味地追求读经解经。记述达摩禅法的著作就是由昙林作序的《二入四行论》。

23.菩提达摩的"二入四行"

所谓"二入四行",一是理入,即要求修行者深信自性本来与佛、菩萨无别,只是由于被情欲烦恼(相对于本心,被称为客尘)污染,才使它不能显现;如果能够凝心坐禅,在内心断除一切情欲烦恼和自他、凡圣等差别观念,便使自己的认识与真如佛性之理相契合,达到精神解脱的境地。二是"行入",是要人通过四个方面的修行(遭遇苦境不抱怨、安然对待人生中的苦乐、无所求、按照大乘佛法去生活和修行),达到觉悟解脱(入道)。

24.禅宗的北宗

中国在宋代以后所说的禅宗,一般是指由慧能开创的南宗禅。然而从禅宗发展历史考察,在唐末以前曾有过南宗、北宗并行传播的时期,而且至少在弘忍去世(公元674年)到"安史之乱"(公元755-763)结束之前,北宗在朝廷的直接支持下曾在以长安和洛阳东西两京为中心的广大北方地区十分盛行。

北宗是相对于以在岭南韶州曹溪(在今广东韶关)的慧能为创始人的南宗说的,以神秀(?-公元706)及其弟子普寂(公元651-739)为代表。

在本世纪二三十年代从敦煌遗书中发现大量早期禅宗文献以前,流传于社会上的禅宗典籍对北宗禅法仅有个别的零散的介绍。随着国内外学者对敦煌禅籍的深入调查和研究,从中发现不少属于北宗的史书和传授禅法的语录,其中的《观心论》《大乘五方便》等文献,被认为是记述北宗神秀法系的禅法著作。

神秀、普寂一系的北宗禅法的基本要点是:(1)重视坐禅,在禅定中"观心"、"摄心"、"住心看净";(2)观心、看净是一个修行的过程,通过观空,认识一切皆空的道理,并且坚持"息想"、"息灭妄念"("拂尘")等,深入领悟自己本具清净佛性,循序渐进地断除污染心性的一切情欲和世俗观念,达到与空寂无为的真如佛性相应的觉悟境界。

唐开元二十年(公元732),慧能的弟子神会(公元684-758)在靠近洛阳的滑台(在今河南滑县东)与北宗僧人辩论,宣称南宗慧能曾从弘忍受祖传袈裟,是禅门正统,禅法主顿;

北宗没有祖传袈裟,"师承是傍(按:法系为旁出),法门是渐"(宗密《中华传心地禅门师资承袭图》),竭力为南宗在北方传播开辟地盘。由于神会的努力,南宗禅曾在洛阳一带兴盛过较短的时期。但毕竟北宗势力过于强大,神会受到北宗势力的诬陷被流放外地。直到"安史之乱"之后,由于神会主持戒坛度僧敛钱支援军需有功,受到朝廷的支持,南宗的正统地位得到朝廷的确认。此后南宗才发展成为禅宗的主流派,北宗逐渐衰微、消亡。

25.《六祖坛经》

慧能(公元 638-713)被禅宗南宗奉为直承五祖弘忍之后的六祖。《六祖坛经》就是记述他生平事迹和传法的集录,从中可以了解以慧能为代表的南宗的禅法思想。

《六祖坛经》有各种不同的刊本。包括旧敦煌本和敦煌新本、北京残本所依据的原本《坛经》当产生于唐开元二十一年(公元 732)至贞元十七年(公元 801)之间;宋代乾德五年(公元 967)惠昕改编的《坛经》在国内久佚,本世纪 30 年代后在日本陆续发现几种不同的本子,皆以发现地命名,按发现顺序有兴圣寺本(源自 1153 年的宋刊本)、大乘寺本(源于 1116 年的宋刊本)、真福寺本(源于 1012 年的宋刊本)。在敦煌本、惠昕本发现之前,最流行的《坛经》是元代宗宝在公元 1291 年的改编本。另外有被称为"曹溪原本"的《坛经》流行,此当源于宋代契嵩在公元 1056 年的改编本。

在南宗成为禅宗的主流之后,唐末五代分为五宗,有临济宗、沩仰宗、曹洞宗、云门宗、法眼宗,各派虽有各自的禅法和传法方式,然而实际皆以《六祖坛经》为基本依据。正如元代德异为《六祖坛经》写的序所说:"一门深入,五派同源,历遍炉锤,规模广大,原其五家纲要,尽出《坛经》。"

26.慧能从黄梅弘忍受法的有趣传说

据现有资料,这个传说是基本真实的。慧能(公元 638-713),俗姓卢,生于新州(今广东新兴)。原籍范阳(治所在今河北涿县),因父遭贬官徙居新州。幼时丧父,由母亲抚养成人。家境贫寒,以打柴做零工维持生活。某日,在市上卖柴,有一位顾客买了柴,命慧能把柴送到旅店。慧能在回来时看见一客在读《金刚般若经》,听后似有所悟,迟迟不愿离去。从此客的介绍中得知蕲州黄梅县(在今湖北东南)东冯茂山(或作冯母山)有位弘忍禅师在那里传法,劝道俗信徒读诵《金刚般若经》。慧能从此发愿北上投师,修学佛法。

唐咸亨元年(公元 670)慧能年三十三岁,母亲已去世,便取道韶州曹溪(今广东韶关)北上求师学习佛法。在曹溪认识村民刘至(或作"志")略,因为情投意合,结为兄弟。刘至略之姑是位出家的比丘尼,名无尽藏,住在当地的山涧寺。慧能白天与刘至略一起参加劳动,晚上听无尽藏比丘尼读诵《大般

涅槃经》。慧能虽不识字,但善于领会经中所讲"一切众生,皆
有佛性"等经文大意。

　　咸亨五年(公元674)慧能北上投黄梅县冯茂山弘忍的门
下学法,年三十七岁。弘忍原继承道信在黄梅县西的双峰山
幽居寺传法,后来至县东北的冯茂山(也称东山)建寺传法。
他上承菩提达摩以来的禅法世系,被人称为"东山法门"。慧
能前来求法时,门下已有徒众700余人(或云千人)。

　　慧能目不识丁,是岭南一个山野樵夫,常与猎人为伍。当
时常有人轻蔑地称这种人为"獦獠"。弘忍初见慧能,也曾戏
称之为"獦獠",但听完慧能机智灵巧的答问,便对他另眼相看
了。敦煌新本《六祖坛经》记载:

　　　弘忍和尚问慧能曰:汝何方人,来此山礼拜吾?
汝今向吾边,复求何物?

　　　慧能答曰:弟子岭南人,新州百姓,今故远来礼
拜和尚,不求余物,唯求作佛法。

　　　大师遂责慧能曰:汝是岭南人,又是獦獠,若未
为堪作佛法。

　　　慧能答曰:人即有南北,佛性即无南北,獦獠身
与和尚不同,佛性有何差别?

　　从以上问答可以看出,慧能是紧紧抓住了《大涅槃经》上
的"一切众生,悉有佛性"的道理,说明岭南、岭北之人,和尚与
獦獠,皆秉有佛性,皆可修持佛法。这种回答与弘忍的想法是

相契合的。弘忍听后心中满意,暂时打发他到碓房舂米。

某日,弘忍召集弟子们到身边,吩咐他们把自己学习佛法的心得各作一偈呈上,以此作为选择嗣法弟子的依据。上座神秀,素为寺僧所重,自写一偈于廊下中间的壁上,曰:

> 身是菩提树,心如明镜台,
>
> 时时勤拂拭,莫使有尘埃。

弘忍看到此偈,虽不十分满意,但因为其中有勉励勤苦修行的意思,也叫众人抄写此偈,说依照此偈修行可以得到好的报应。但在私下却对神秀说,他的偈所表述的见解尚未入门,按照这种见解是达不到最高的觉悟的,告诉他"要入得门,见自本性"。

慧能虽每天在碓房忙于干活,但似乎也经常考虑人生的解脱问题。当听说弘忍叫门下的人写偈,神秀已经写出被人传诵时,便叫人带领也到廊下,听人读后,立即明白偈的大意。但他并不同意神秀的见解。当即作了二偈,请人写在壁上。第一首偈是:

> 菩提本无树,明镜亦无台。
>
> 佛性常清净,何处有尘埃。

又一偈曰:

> 心是菩提树,身为明镜台。
>
> 明镜本清净,何处染尘埃。

(以上见敦煌本《六祖坛经》)

慧能的这两首偈都是针对神秀的偈作的。神秀认为人身实有，是觉悟（菩提）的当体，而身内所秉的心性如同明镜一般，应当勤于修行除去情欲妄念，以使心性永远明净。这是劝人修善去恶，后人称之为"拂尘看净"，归之为渐教禅法。慧能认为，身与心皆不可执著，从根本说来是空无所有，众生所秉佛性本来是清净的，何有尘埃可染？第一首偈的第三句从宋代惠昕本《坛经》开始，一般皆作"本来无一物"。从般若学说来看，"佛性常清净"与"本来无一物"并无根本的差别。因为在大乘般若学说中，"佛性"也就是"诸法实相"、"法性"、"般若波罗蜜"、"毕竟空"等。慧能则运用般若中观的理论，认为垢净不二，以空扫相，直探心源，故说"佛性常清净（或"本来无一物"），何处有尘埃"。第二首偈原是借用神秀偈的前两句，但把"心"和"身"的次序似乎是有意搞颠倒了。它的后两句与第一首偈的意思是一样的，大意是说，即使从俗谛来说，众生现实之身所具有的先天的佛性，也是清净无染的，无需执意地苦修不已。此偈后世诸本《坛经》皆无载。

弘忍对于慧能的偈是赞赏的，但在众人面前只是说"亦未得了"。在一个夜晚，弘忍把慧能叫到自己的房间，向他讲授《金刚经》的要点，传授禅法。"慧能一闻，言下便悟"。据各种资料记载，弘忍还授给慧能袈裟，作为法嗣的信物。

慧能连夜南归，当时未正式出家受戒。他有三年的时间流亡在广州的新州、四会和怀集三县之间。后来在广州正式出家受戒，到韶州曹溪传法，创立南宗，被奉为上承菩提达摩—慧可—僧璨—道信—弘忍之后的六祖。

27.慧能的禅法思想

根据《六祖坛经》,慧能在向信众说法中,主要强调以下思想:

(1)众生皆有佛性,皆可自修自悟

《六祖坛经》记述,慧能在韶州大梵寺登上高座,"说摩诃般若波罗蜜法,授无相戒"。是说慧能向听众讲《摩诃般若经》的一切皆空和中道的思想,并且向信徒授"无相戒"。

那么,什么是无相戒呢? 慧能的无相戒是以佛性为戒体、本源的大乘菩萨戒,也可称为"佛性戒"、"持心戒"。他把这种戒与传统的"四弘誓愿"("众生无边誓愿度,烦恼无边誓愿断,法门无边誓愿学,无上佛道誓愿成")、"忏悔"、"三归依"(归依佛、法、僧)融为一体,并且借助向众生授戒的形式,宣传众生皆有佛性,佛在每个人的自心,说"佛是自性作,莫向身外求",人人皆可自修自悟。称此戒"无相",不外乎有两种原因:一是表示此戒以"佛性"为体,而"佛性"是实相无相,"心"无相;二是授戒时仅传授象征佛性的戒体,而不传授包括"菩萨戒"的十重戒、四十八轻戒在内的"戒相",所以称为无相戒。

强调自心佛性是戒体,是戒的清净本源;佛、法、僧三宝在每人的自性之中;教人坚定主观信仰,说自修自悟就可以成佛,就构成了慧能的无相戒的主要内容和特色。

（2）提倡顿教法门和"识心见性"

慧能的禅法理论有两大理论来源：一是大乘般若中观学说，他经常引用的经典有《摩诃般若经》、《金刚般若经》和《维摩经》（《净名经》）；二是大乘涅槃佛性学说，常引用的经典有《大涅槃经》。他从般若学说吸收空观本体论和观察思考问题的方法论——二谛论和不二法门；从涅槃佛性学说中吸收人人皆可成佛的佛性论，然后巧妙地将二者加以变通融合，构成自己的禅法体系。

慧能通过向信众讲"摩诃般若波罗蜜法"，反复强调：（一）人人皆具有佛性本心，它本来清净，但被世俗"妄念"所掩覆，不得显现；（二）借助般若智慧观想主客观世界，促使各种执著妄念（情欲、世俗观念）断灭，做到"识心见性"，即真正体认自己的本有佛性，便能在精神上达到与真如佛性相契合的清净超脱（无念，无忆，无著）的境界，就是"一悟即至佛地"。在这里，他把"见性"、"无念"以及"般若三昧"（意为智慧禅定）等概念等同起来，是认为它们都是与真如佛性相契合的状态。"见性"是体悟真如；"无念"是契合真如的无为清净的精神状态；"般若三昧"是领悟真如，获得智慧的禅观境界。

慧能所说的"一悟即至佛地"，是顿时豁然开悟，是顿悟。他虽主张顿悟，但他又表示，佛法本身没有顿渐之分，只是人领悟佛法的素质有利钝之别。"迷自渐劝,悟人顿修",是说没有领悟自心本有佛性的人,应当循次勉力,而一旦体悟自性,便可顿修成佛。

（3）"无念为宗"——寄坐禅于自然无为和日常生活之中

戒、定、慧是佛教的三学,包笼全部佛法。从整体上看,三者有机联系,构成佛法的全体。但三者又各有相对的独立性,各有自己的内容和特色。对此,慧能似乎也承认,但他提出一个前提,即对于没有觉悟的人来说才有戒、定、慧的差别,而对觉悟自性的人来说,三者皆为自性,是自性的不同定位的名称。

北宗神秀对戒、定、慧的解释是:"戒"是"诸恶不作","慧"是"诸善奉行",皆是对行为的约束和规范,只有"自净其意"的"定",才是制约人的心理活动的。针对此说,慧能提出:"心地无非自性戒,心地无乱自性定,心地无痴自性慧。"是说"心地"无非、无乱、无痴,指的不是三个物件,恰恰指的是"佛性"本身。所谓"自性戒"、"自性定"、"自性慧",无非是说佛性本身就是戒、定、慧,它们并非存在于人的心性之外,而是本来为人的心性所有。他提出"定、慧不二",认为不必"先定发慧",实际更加重视智慧。

慧能明确地规定自己禅法是"立无念为宗"。所说的"无念"不是要求人们离群索居,闭目塞听,什么也不想,什么也不念,而是照常生活在现实的社会环境之中,照常从事各种活动,只是要求对任何事物、任何对象都不产生贪取或舍弃的念头,没有执意的好恶、美丑的观念。

按照"无念"的精神,修行者是否一定要依照固定的程式进行坐禅呢?当然不是。不论是出家还是在家,只要直探心源,自修自悟,对一切没有"执著",那么,任何时候,无论是行住,还是坐卧,都可以看做是坐禅。他对禅定作出新的定义,说:"外于一切境界上,念不起为坐,见本性不乱为禅。何名为禅定?外离相曰禅,内不乱曰定。"可见,"坐"不是原来意义上的"坐"(打坐,结跏趺坐),而是"念不起",亦即不起杂念、妄念;"禅"不是原来意义上的"禅"(禅定,静心思维),而是"见本性不乱"("见",意为显现,与本性相应),意即坚持清静自性(文中也称"内心")不受外界干扰。"念不起"和"见本性不乱"或"内不乱",皆是特种精神境界,无非是相信自己本具清净佛性,即心是佛,不受周围环境和任何事物的影响。

28.禅门的"五家七宗"

慧能死后,弟子们到各地传授南宗禅法,逐渐形成传承世系和禅法风格各异的许多禅派。神会的一支称荷泽宗,然而在神会死后不久便衰微下去。慧能的另两个弟子行思(?-公元740)和怀让(公元677-744),分别在吉州青原山(在今江西吉安市东南)和南岳(在今湖南衡山县)传法。行思弟子中以石头希迁(公元700-791)最有名,长期在南岳传法。怀让弟子中以马祖道一(公元709-788)最有名,长期在洪州(治所在今江西南昌)传法。他们的弟子很多,分散到大江南北传法,不断扩大南宗的影响。

在唐朝后期,禅宗已经以南宗为主体,北宗逐渐衰亡。从唐末到五代,相继从马祖的法系形成临济宗、沩仰宗;从石头的法系形成曹洞宗、云门宗、法眼宗。进入宋代以后,禅宗特别盛行,以至发展成为中国佛教的主流派。从临济宗内又分出以江西黄龙山的慧南(公元1002-1069)为创始人的黄龙派、以袁州(治所在今江西宜春)杨岐山的方会(公元992-1049)为创始人的杨岐派。史称这禅门五宗和临济宗的二派为"五家七宗"。

禅宗分成五派之后,一是禅宗更加深入社会各个阶层,强调禅法与生活密切结合,主张"立处皆真",称"佛法无用功处,只是平常无事,屙屎送尿,著衣吃饭,困来即卧"(《古尊宿语录》卷四《临济语录》),即生活日用为佛道;二是修行和传禅方式更加自由活泼,不要求必须读经、坐禅,教导和接引弟子重视应机施教,经常使用问东答西和反诘语的表达方式、动作乃至棒喝来启发参禅者。各派形成自己的传授禅法,接引学人的独特做法,禅宗史书称为"门庭施设",例如临济宗有"四料简",曹洞宗有"五位君臣"等,都是根据参禅者的不同情况用来破除他们的"我执"(对自我的执著)和"法执"(对外境一切的执著)的。

29.中国的密宗

唐玄宗时,印度和尚善无畏(公元 637-735)和金刚智(公元 669-741)、不空(公元 705-774)来华,先后译出《大日经》、《金刚顶经》等密教经典,把密教正式传入中国,一般以他们作为中国密宗的创始人。

善无畏的弟子一行(公元 673-727)所撰《大日经疏》也是当时密宗的要典之一。不空有弟子惠果(? -公元 805),所传弟子中有日本来华求法僧空海(公元 774-835),把密宗传入日本,创立日本真言宗。空海用汉文写的《辩显密二教论》、《秘密曼荼罗十住心论》、《即身成佛义》等,对了解唐代密宗有重要参考价值。

密宗教义可用《大日经》卷一所说"菩提心为因,悲为根本,方便为究竟"来加以概括。"菩提心"原意是誓愿成佛之心,密教常把它等同于佛性、真如,乃至大日如来(被认为是佛的法身)。"悲"指普度众生的慈悲心愿。"方便"指各种教化,也包括普度众生的方法和行为。这句话合起来说就是:应当怀有追求成佛的心愿,以慈悲之心用一切方法去普度众生,最后就可以得到佛的智慧。

密宗认为世界万物、佛和众生,皆由大日如来所普现的地水火风空识"六大"生成。称大日如来的理(佛性)德为"胎藏界",与前述"六大"中的"地水火风空"的"色法"相应,而大日如来的智(智慧)德为"金刚界",与"六大"中的"识"的"心法"相应,认为色心不二,金胎为一。"曼荼罗"原意为"坛场",祭祠供养之所。依据《大日经》原理绘制出"胎藏界曼荼罗",据《金刚顶经》原理绘制出"金刚界曼荼罗",作为供养和观想的对象。

在修行方面,主张众生与大日佛的体性相应。称如果按照规定修持"三密":手结印契(做出各种手势),口诵真言(密咒)、心观大日佛像,就可使修行者的身、语、意三业清净,做到与大日佛相应,即身成佛。此宗重视供养、秘密仪轨、密咒等。此后西藏地区的密教与唐代密宗又有所不同。

30.藏传佛教格鲁派

格鲁派(黄教)是由出生在今青海西宁塔尔寺地方的宗喀巴(1357-1419)创立的。宗喀巴创建甘丹寺,晚年长期在此传法,故他创立的宗派以此寺命名,称甘丹派。"甘丹"按藏文习惯称为"迦鲁",一般人称为"格鲁"。因此派僧众戴黄帽,故又俗称黄教。

宗喀巴是在广泛吸收显、密二教的教理基础上建立自己的教义体系的,著有《菩提道次第广论》、《中论广释》、《入中论释》、《辨了不了义论》、《菩萨戒品释》、《侍师五十颂释》、《密宗十四根本戒释》等。

宗喀巴针对当时有不少僧人轻视学习经典的流弊,强调多闻深思经、律、论三藏,深入研习戒、定、慧三学,规定本派僧人必须学习《现观庄严论》、《入中论》、《量释论》、《俱舍论》和《戒经》。这五部论著被称为黄教五部论。他在教义上阐明显、密二教的关系;规定僧众必须在系统通达显教经论之后,才有少数人可能取得修密教的资格;修密法必须遵循严格的程序,并且遵守戒规,一切修持唯以观想为重,不许实际接触女人。

宗喀巴要求僧众应当认真掌握以龙树为代表的大乘中观学派在《中论》等论著中阐述的"缘起性空"的观点,树立中观"正见",正确认识"自性空"与"缘起有"的互为依存的关系,而对当时流行的其他违背中道的种种观点提出批评;要求僧众在通达"因缘性空"的前提下正确认识禅观,根据个人情况修习止观,以做到"真修";认为持戒是佛教一切修行的基础,针对以往佛教界戒律松弛、风气败坏等情况,强调僧众必须严格遵守包括"断酒"、"不非时食"等在内各种戒规。

格鲁派成立后发展十分迅速,很快成为藏传佛教的主流派,原属噶丹派等宗派的不少寺僧改奉格鲁派。宗喀巴与其弟子先后在拉萨建造甘丹寺、哲蚌寺和色拉寺,在日喀则建扎什伦布寺,所建寺庙成为格鲁派在西藏地区的四大寺。

16世纪以后,从哲蚌寺寺主索南嘉措(公元1543-1588)开始形成达赖喇嘛的活佛转世制度,传至现在为第十四世达赖喇嘛;而从扎什伦布寺寺主罗桑却吉坚赞(公元1567-1662)开始形成了班禅的活佛转世制度,传至现在为第十一世班禅。(王森《西藏佛教发展史略》;观空《格鲁派》,载中国佛教协会编,知识出版社1980年出版《中国佛教》第一册)

朝鲜、日本和越南三国的佛教

1.朝鲜佛教

公元4世纪后期,中国佛教开始传入朝鲜。当时正值高句丽、百济、新罗三国鼎立时期。7世纪中叶,新罗在唐王朝的支援下统一朝鲜半岛,佛教开始普及全社会。此后,不少新罗僧人到唐朝求法,有的长期留在中国。中国的华严宗、法相宗和禅宗、密宗、净土宗等宗派相继传入新罗,盛行于社会。

新罗的禅宗是先后由不同的僧人传入的,在各地以某一个寺院为中心传授禅法,至9世纪末新罗后期形成八个支派,进入高丽王朝(公元918-1392)以后形成九个支派,称"禅门九山"。其中一派传北宗禅,一派传曹洞禅,其他皆传南宗马祖道一法系的禅法。随着佛教深入社会,在12世纪形成带有鲜明民族特色的佛教宗派——知讷(公元1158-1210)创立的曹溪宗(属于禅宗)。李朝(公元1392-1910)崇儒排佛,佛教逐渐衰微。15世纪朝廷将佛教统编为禅、教二宗,把全部僧众分编在36个寺院。

朝鲜在 20 世纪初沦为日本的殖民地,日本佛教宗派对朝鲜佛教界进行渗透,情况有所变化。二战后,南北朝鲜分立。现在韩国最流行的佛教宗派是曹溪宗,其次有 1970 年从曹溪宗分出的太古宗(僧人可以娶妻)以及众多的新兴宗教派别。

2.日本佛教

6 世纪中期,中国佛教通过朝鲜半岛传入日本,得到当政者的信奉和支持。奈良时期(公元 710-794)中国的佛教的部分宗派传入日本,其中以三论宗、法相宗、华严宗、律宗影响较大。平安时期(公元 794-1192)由最澄(公元 767-822)和空海(公元 774-835)分别从唐朝传入的天台宗、真言宗(属密教)最为盛行。

佛教在日本也经历了民族化的过程,经过与传统文化和宗教习俗的会通结合,在进入镰仓时期(公元 1192-1333)以后,形成一些带有鲜明民族色彩的宗派。其中的净土宗提倡口称念佛;真宗特别强调对阿弥陀佛及西方净土的主观信仰,以"信心为本";日莲宗的教理以《法华经》经题目为中心。此外,相继从宋元传入禅宗临济宗、曹洞宗。这些宗派与旧有的天台、真言二宗构成日本民族佛教的基本格局。此后,日本佛教进入持续发展时期。

江户时期(公元 1603-1867),掌握军政大权的幕府(将军为首的政府)为了巩固统治,将佛教纳入镇压基督教和监督民众的统制体制。佛教甚至居于"准国教"的地位。

明治维新（公元 1868）以后,佛教曾一度受到神道教的压抑和排斥,但不久便重新得以恢复,并适应日本的资本主义改革和社会体制的变化进行了若干革新。然而在日本军国主义对外进行侵略扩张的过程中,佛教也被纳入为战争服务的统制体制。

二战后,佛教各派经过重新组合,适应现代社会的形势开展宗教、文化活动,有很多佛教徒曾积极参加维护和平,反对侵略战争,推进日中友好的活动。从江户幕府末年以来,特别在二战以后,佛教系的新兴宗教与日俱增,其中以日莲法华系统的新兴宗教最多,著名的有创价学会、灵友会、立正佼成会等。

3.越南佛教

古代越南是中印两国文化的交汇地区。大约在公元前 2 世纪末,佛教从中国和印度传入越南,到 4、5 世纪时得到广泛的传播。

唐朝有不少僧人到越南,其中有的与越南僧人结伴到印度求法。中国的佛教宗派也逐渐传入越南,特别是唐朝中后期迅速兴起的禅宗以及在民间广泛传播的净土宗在越南获得较大的发展,影响也大。从 9 世纪至 13 世纪,越南相继出现民族化的佛教宗派——属于禅宗系统的无言通派、草堂派、竹林派。这些派别先后受到李朝（公元 1010－1224）、陈朝（公元 1225－1405）皇室的尊奉,被奉为国教。

17 世纪以后,竹林禅派逐渐与净土宗融合,形成禅、净合一的莲宗,主张禅、教一致,念佛与坐禅双修。此后由中国禅僧元绍(?-公元1712)创立元绍禅派,弘传临济禅法,提倡"禅教一致",在越南中部、南部一带流传。18世纪初越南了观法师(?-公元1743)创了观禅派,对临济禅法进行改革,至今在越南中部比较有影响。

从整体来看,越南佛教受佛、道二教影响较大,也吸收越南的民族信仰,并盛行简单易行的净土念佛。

4.中韩日三国佛教的"黄金纽带"

中国在古代是北传佛教的中心。中国汉语系佛教在公元4世纪后期传到朝鲜,然后在6世纪中叶传到日本。长期以来,佛教是中、朝、日三国文化交流的重要桥梁和纽带。

1993年,以赵朴初为团长的中国佛教协会代表团出访日本,参加日本佛教界纪念中国佛教协会成立40周年的庆祝活动,韩国佛教界也派代表出席会议。赵朴初在讲话中提出:中韩日三国佛教界的友好交流自古到今已形成一条"黄金纽带"。这一形象的比喻,立即得到韩国和日本朋友的赞同和共鸣。他们提议召开三国佛教首脑会议,以进一步推进三国发展友好关系。

经过三国佛教界代表的协商和筹备,1995年5月22日,"中韩日佛教友好交流会议"在北京召开。来自三国的代表105人出席会议,并有韩国、日本的朋友500余人列席会议。会议以"友好·合作·和平"为主题,旨在构建三国佛教的友好关系,积极推动三国人民的友好交流,维护东亚稳定,维护世界和平。

赵朴初会长先后为会议致开幕词和闭幕词,指出三国佛教徒和三国人民自古以来有着悠久、深厚的亲缘关系。三国山水相连,文化习俗同源,宗教信仰也一脉相承。许多纽带把三国密切联结在一起:

> 在所有这些纽带中,有一条源远流长,至今还闪闪发光的纽带,那就是我们共同信仰的佛教。我曾送给它一个名字:黄金纽带。这条纽带史自有来。回溯历史,佛教在中韩日三国人民的文化交流中起着媒介的作用。可以说,佛教上的合作与交流是中韩日三国文化交流史上最重要、最核心的内容。

他联系当前的世界局势,希望三国佛教徒要继承和发扬自古以来三国友好合作的传统,让这条黄金纽带"联结更多的国家和民族,为亚洲的繁荣与稳定,为人类的和平与幸福披精进铠,作大功德"。

三国佛教界代表在致词和发言中回顾历史,展望未来,愿意为通过佛教交流加深三国人民之间的友谊,推进亚洲和世界的和平事业做出贡献。

会议通过《北京宣言》,对三国佛教友好交流,对推动三国友好合作和维护亚洲和世界和平事业的重大意义予以充分肯定,还说:"会议回顾了众所周知的在半个世纪前发生的那场战争给中国、韩国人民造成的深重灾难。会议吁请三国佛教徒提高警觉,维护公理,伸张正义,防止历史悲剧重演。"按照会议宣言,此后轮流在三国举办三国佛教友好交流会议。

以国家主席江泽民为首的中国领导人对这次会议的召开和取得的成就表示热烈祝贺,认为会议以"友好·合作·和平"为主题,体现了中韩日三国佛教界人士和人民要求和平与发展的愿望,相信此会将对人类的和平与发展事业起到积极作用。(《人民日报》1995 年 5 月 23 日、5 月 25 日报道)

从中日两国佛教友好交流扩展到中韩日三国佛教友好交流,开始了东亚佛教文化交流的新时期。可以期待,佛教"黄金纽带"将在以和平与发展为主旋律的时代,在世界日益多极化的新的国际形势下,为增进各国佛教徒和人民之间的心灵沟通和理解,为推进亚洲和世界的和平发展事业作出自己独特的贡献。